READERS' COMMENTS

With such a wealth of information as contained in this book, it is inevitable a few inaccuracies may be found. The authors will be pleased to receive notification from readers of any such inaccuracies, and also notification of any additional information to supplement our records and thus enhance future editions.

Please send comments to:

e-mail metent...

Both the authors and the staff of Platform 5 regre.... to answer specific queries regarding locomotives and rolling stock ... an through the 'Q & A' section in the Platform 5 magazine *Today's Railways*.

ORGANISATION & OPERATION OF BRITAIN'S RAILWAY SYSTEM

INFRASTRUCTURE & OPERATION

Britain's national railway infrastructure i.e. the track, signalling, stations and associated power supply equipment is owned by a public company – Railtrack PLC. Many stations and maintenance depots are leased to and operated by train operating companies (TOCs), but some larger stations remain under Railtrack control. The only exception is the infrastructure on the Isle of Wight, which is owned by the government and is leased to the Island Line franchisee.

Trains are operated by TOCs over the Railtrack network, regulated by access agreements between the parties involved. In general, TOCs are responsible for the provision and maintenance of the locomotives, rolling stock and staff necessary for the direct operation of services, whilst Railtrack is responsible for the provision and maintenance of the infrastructure and also for staff needed to regulate the operation of services.

DOMESTIC PASSENGER TRAIN OPERATORS

The large majority of passenger trains are operated by the TOCs on fixed term franchises. These are currently as follows:

Franchise	Owner	Trading Name
Anglia Railways	GB Railways	Anglia Railways
InterCity East Coast	Sea Containers	Great North Eastern Railway
InterCity West Coast	Virgin Rail	Virgin Train
Cross Country Trains	Virgin Rail	Virgin Trains
Great Eastern Railway	First Group	First Great Eastern
Great Western Trains	First Group	First Great Western
North West Regional Railways	First Group	First North Western
Midland Main Line	National Express	Midland Mainline
Gatwick Express	National Express	Gatwick Express
North London Railways	National Express	Silverlink Train Services
Central Trains	National Express	Central Trains
ScotRail	National Express	ScotRail
Merseyrail Electrics	MTL Rail	Merseyrail Electrics
Regional Railways North East	MTL Rail	Northern Spirit
LTS Rail	Prism Rail	LTS Rail
South Wales & West	Prism Rail	Wales & West Passenger Trains
Cardiff Railway	Prism Rail	Cardiff Railways
West Anglia Great Northern	Prism Rail	WAGN
South West Trains	Stagecoach	South West Trains
Island Line	Stagecoach	Island Line
Network South Central	Connex Rail	Connex South Central
South Eastern Trains	Connex Rail	Connex South Eastern
Thameslink Rail	GOVIA	Thameslink Rail
Chiltern Railways	M40 Trains	Chiltern Railways
Thames Trains	Victory Rail	Thames Trains

The above companies may also operate other services under 'Open Access' arrangements.

The following operators run non-franchised services only:

Operator	Trading Name	Route
British Airports Authority	Heathrow Express	London Paddington–Heathrow Airport
West Coast Railway	West Coast Railway	Fort William–Mallaig

INTERNATIONAL PASSENGER OPERATIONS

Eurostar (UK) operates international passenger services between the United Kingdom and continental Europe, jointly with French National Railways (SNCF) and Belgian National Railways (SNCB/NMBS). In addition, a service for the conveyance of accompanied road vehicles through the Channel Tunnel is provided by the tunnel operating company, Eurotunnel. Eurostar (UK) is a subsidiary of London & Continental Railways, which is now jointly owned by National Express Group and the British Airports Authority.

FREIGHT TRAIN OPERATIONS

TOCs currently engaged in freight train operation are:

English Welsh & Scottish Railway (EWS)
Freightliner
Direct Rail Services
Mendip Rail

USING THIS BOOK

LAYOUT OF INFORMATION

Diesel Multiple Units

Diesel Multiple Units (DMUs) are listed in numerical order of class number, then in numerical order of set number – using current numbers as allocated by the Rolling Stock Library (the national rail vehicle registry). Individual 'loose' vehicles are listed in numerical order after vehicles formed into fixed formations. Where numbers carried are different to those officially allocated (e.g. former numbers), these are noted in class headings where appropriate. Where sets or vehicles have been renumbered since the previous edition of this book, former numbering detail is shown in parentheses.

Each entry is laid out as in the following example:

Set No.	Detail	Livery	Owner	Operation	Depot	Formation		Name
150 257	r*	**RR**	P	*AR*	NC	52257	57257	QUEEN BOADICEA

Light Rail/Tramway Vehicles

Vehicles are listed in numerical order of painted number.

CLASS HEADINGS

Principal details and dimensions are quoted for each class in metric and/or imperial units as considered appropriate bearing in mind common usage in the UK.

The following abbreviations are used in class headings and also throughout this publication:

BR	British Railways.
BSI	Bergische Stahl Industrie.
DEMU	Diesel-electric multiple unit.
DMU	Diesel multiple unit (general term).
GWR	Great Western Railway.
hp	horsepower.
Hz	Hertz.
kN	kilonewtons.
km/h	kilometres per hour.

kW	kilowatts.
lbf	pounds force.
m.	metres.
mm.	millimetres.
mph	miles per hour.
rpm	revolutions per minute.
RSL	Rolling Stock Library.
t.	tonnes.
T	Toilets.
TD	Toilets suitable for disabled passengers.
V	volts.
W	Wheelchair spaces.

All dimensions and weights are quoted for vehicles in an 'as new' condition with all necessary supplies (e.g. oil and water) on board. Dimensions are quoted in the order Length – Width – Height. All lengths quoted are over buffers or couplings as appropriate. All width and height dimensions quoted are maxima.

DETAIL DIFFERENCES

Only detail differences which currently affect the areas and types of train which vehicles may work are shown. All other detail differences are specifically excluded. Where such differences occur within a class or part class, these are shown alongside the individual set or vehicle number. Standard abbreviations used are:

r   Radio Electronic Token Block (RETB) equipment.
t   Tripcock equipment for working over London Underground Ltd. tracks between Harrow-on-the-Hill and Amersham.

In all cases use of the above abbreviations indicates the equipment indicated is normally operable.

Meaning of non-standard abbreviations is detailed in individual class headings.

LIVERY CODES

Livery codes are used in this publication to denote the various liveries carried by vehicles. Readers should note it is impossible in a publication of this size to list every livery variation which currently exists. In particular items ignored for the purposes of this book include:

•   Minor colour variations;
•   All numbering, lettering and branding;
•   Omission of logos.

The descriptions below are thus a general guide only and may be subject to slight variation between individual vehicles. Logos as appropriate for each livery are normally deemed to be carried.

A full list of livery codes used in this publication appears on page 78.

OWNER CODES

Owner codes are used in this publication to denote the owners of vehicles listed. Most vehicles are leased by the TOCs from specialist leasing companies.

A full list of owner codes used in this publication appears on page 79.

OPERATION CODES

Operation codes are used in this publication to denote the normal usage of the vehicles listed – i.e. A guide to the services of which train operating company any vehicle will normally be used upon. Where vehicles are used for non revenue earning purposes, an indication to the normal type of usage is given in the class heading. Where no operation code is shown, vehicles are currently not in use.

A full list of operation codes used in this publication appears on page 79.

DEPOT & LOCATION CODES

Depot codes are used to denote the normal maintenance base of each operational vehicle. However, maintenance may be carried out at other locations and may also be carried out by mobile maintenance teams.

Location codes are used to denote the current actual location of stored vehicles. A location code will be followed by (S) to denote stored.

A full list of depot and location codes used in this publication appears on page 80.

SET FORMATIONS

Regular set formations are shown where these are normally maintained. Readers should note set formations may be temporarily varied from time to time to suit maintenance and/or operational requirements. Vehicles shown as 'Spare' are not formed in any regular set formation.

NAMES

Only names carried with official sanction are listed in this publication. As far as possible names are shown in UPPER/lower case characters as actually shown on the name carried on the vehicle(s). Unless otherwise shown, officially complete units are regarded as named rather than just the individual car(s) which carry the name.

GENERAL INFORMATION

CLASSIFICATION AND NUMBERING

First generation ('Heritage') DMUs are classified in the series 100–139.
Second generation DMUs are classified in the series 140–199.
Diesel-electric multiple units are classified in the series 200–249.
Service units are classified in the series 930–999.
First and second generation individual cars are numbered in the series 50000–59999 and 79000–79999.

DEMU individual cars are numbered in the series 60000–60999, except for a few former EMU vehicles which retain their EMU numbers.

Service stock individual cars are numbered in the series 975000–975999 and 977000–977999, although this series is not exclusively used for DMU vehicles.

OPERATING CODES

These codes are used by train operating company staff to describe the various different types of vehicles and normally appear on data panels on the inner (i.e. non driving) ends of vehicles.

DM	Driving Motor.
DMB	Driving Motor Brake.
DMBS	Driving Motor Brake Standard.
DMC	Driving Motor Composite.
DMS	Driving Motor Standard.
DT	Driving Trailer.
DTC	Driving Trailer Composite.
DTS	Driving Trailer Standard.
DTCso	Driving Trailer Composite (semi-open).
MS	Motor Standard.
T	Trailer.
TC	Trailer Composite.
TCsoL	Trailer Composite (semi-open).
TS	Trailer Standard.

All vehicles are of open configuration except where shown. A semi-open vehicle features both open and compartment accommodation, with first class accommodation in compartments in composite vehicles. Where two vehicles of the same type are formed within the same unit, the above codes may be suffixed by (A) and (B) to differentiate between the vehicles. The suffix 'L' denotes vehicles with a lavatory compartment.

A composite is a vehicle containing both first and standard class accommodation, although first class accommodation on first generation DMU vehicles has now all been permanently declassified. The distinction is maintained in this publication in respect of these vehicles to indicate the differing style of seating still fitted.

A brake vehicle is a vehicle containing separate specific accommodation for the conductor (as opposed to the use of rear or intermediate cabs on second generation units).

DESIGN CODES AND DIAGRAM CODES

For each type of vehicle the RSL issues a seven character 'Design Code' consisting of two letters plus four numbers and a suffix letter. (e.g. DP2010A). The first five characters of the Design Code are known as the 'Diagram Code' and these are quoted in this publication in sub-headings. The meaning of the various characters of the Design Code is as follows:

First Character
D — Diesel Multiple Unit vehicle.

Second Character
B — DEMU Driving motor passenger vehicle with brake compartment.
E — DEMU Driving trailer passenger vehicle.
H — DEMU Trailer passenger vehicle without brake compartment.
P — DMU (excl. DEMU) Driving motor passenger vehicle without brake compartment.
Q — DMU (excl. DEMU) Driving motor passenger vehicle with brake compartment.
R — DMU (excl. DEMU) Non-driving motor passenger vehicle.
S — DMU (excl. DEMU) Driving trailer passenger vehicle.
T — DMU (excl. DEMU) Trailer passenger vehicle without brake compartment.
X — DMU (excl. DEMU) Single unit railcar.
Z — All types of service vehicle.

Third Character
2 — Standard class accommodation.
3 — Composite accommodation.
5 — No passenger accommodation.

Fourth & Fifth Characters
These distinguish between different designs of vehicle, each design being allocated a unique two digit number.

Special Note
Where vehicles have been declassified, the correct design code for a declassified vehicle is quoted in this publication, even though this may be at variance with RSL records, which do not always show the reality of the current position.

ACCOMMODATION

The information given in class headings and sub-headings is in the form F/S nT (or TD) nW. For example 12/54 1T 1W denotes 12 first class and 54 standard class seats, 1 toilet and 1 wheelchair space. In declassified vehicles the capacity is still shown in terms of first and standard class seats whilst different types of seat remain fitted.

BUILD DETAILS

Lot Numbers
Vehicles ordered under the auspices of BR were allocated a Lot (batch) number when ordered and these are quoted in class headings and sub-headings.

Builders
These are shown in class headings, the following abbreviations being used:

ABB Derby	ABB, Derby Carriage Works (now Adtranz Derby).
ABB Doncaster	ABB, Doncaster Works (now Adtranz Doncaster).
Adtranz Derby	Adtranz, Derby Works.
Alexander	Walter Alexander, Falkirk.
Alstom Birmingham	Alstom, Saltley, Birmingham.
Alstom Eastleigh	Alstom, Eastleigh Works.
Ashford	BR, Ashford Works.
Barclay	Andrew Barclay Ltd, Caledonia Works, Kilmarnock (now Hunslet-Barclay).
BREL Derby	BREL, Derby Carriage Works.
BREL Eastleigh	BREL, Eastleigh Works (later Wessex Traincare, now Alstom Eastleigh).
Derby	BR, Derby Carriage Works (later BREL Derby, then ABB Derby, now Adtranz Derby).
Eastleigh	BR, Eastleigh Works (later BREL Eastleigh, then Wessex Traincare, now Alstom Eastleigh).
GEC-A Birmingham	GEC-Alsthom, Saltley, Birmingham.
Gloucester	Gloucester Railway Carriage & Wagon, Gloucester.
Hunslet-Barclay	Hunslet-Barclay, Caledonia Works, Kilmarnock.
Lancing	SR, Lancing Works (later BR, Lancing Works).
Leyland Bus	Leyland Bus, Workington.
Met-Camm.	Metropolitan-Cammell, Saltley, Birmingham (later GEC-A B'ham, now Alstom B'ham).
Pressed Steel	Pressed Steel, Linwood.
Wessex Traincare	Wessex Traincare, Eastleigh Works (now Alstom Eastleigh).
York	BR, York Carriage Works (later BREL York, then ABB York).

The previous practice of showing dual builder details (e.g. Ashford/Eastleigh) where vehicle underframe and body were built at two separate locations has been discontinued as this is now the industry norm rather than an exceptional circumstance.

1. DIESEL MULTIPLE UNITS

1.1 FIRST GENERATION DMUS

Very few first generation diesel multiple units remain. These are now commonly referred to as 'Heritage' units. The following features are standard unless otherwise stated:

Transmission: Mechanical. Cardan shaft and freewheel to a four-speed epicyclic gearbox with a further cardan shaft to the final drive, each engine driving the inner axle of one bogie.
Brakes: All units are equipped with twin pipe vacuum brakes.
Gangways: Within unit only.
Doors: Manually operated slam.
Couplings: Screw couplings are used on all vehicles.
Multiple Working: 'Blue Square' coupling code. All first generation vehicles may be coupled together to work in multiple to a maximum of 6 motor cars or 12 cars in total in a formation. First generation vehicles may not be coupled in multiple with second generation vehicles.
Maximum Speed: 70 mph.

CLASS 101   2- or 3-Car Unit

DMBS–DTSL (Refurbished) or DMBS–DMSL (Refurbished) or DMBS–DMCL (Facelifted).
Engines: Two Leyland 680/1 of 112 kW (150 hp) at 1800 rpm per power car.
Gangways: Midland scissors type.
Bogies: DD15 (motor) and DT11 (trailer).
Dimensions: 18.49 x 2.82 x 3.85 m.
Seating Layout: 3+2 largely unidirectional (2+2 facing in first class).

51175–51253. DMBS. Dia. DQ202. Lot No. 30467 Met-Camm. 1958–59. –/52. 32.5 t.
51426–51463 (except 51432). DMBS. Dia. DQ202. Lot No. 30500 Met-Camm. 1959. –/52. 32.5 t.
51432. DMBS. Dia. DQ232. Lot No. 30500 Met-Camm. 1959. –/49 with luggage racks. 32.5 t.
51800. DMBS. Dia. DQ202. Lot No. 30587 Met-Camm. 1956. –/52. 32.5 t.
53164. DMBS. Dia. DQ202. Lot No. 30254 Met-Camm. 1956. –/52. 32.5 t.
53198–53204. DMBS. Dia. DQ202. Lot No. 30259 Met-Camm. 1957. –/52. 32.5 t.
53211–53228. DMBS. Dia. DQ202. Lot No. 30261 Met-Camm. 1957. –/52. 32.5 t.
53253–53256. DMBS. Dia. DQ202. Lot No. 30266 Met-Camm. 1957. –/52. 32.5 t.
53311–53314. DMBS. Dia. DQ232. Lot No. 30275 Met-Camm. 1958. –/49 with luggage racks. 32.5 t.
51496–51533 (except 51498). DMSL. Dia. DP210. Lot No. 30501 Met-Camm. 1959. –/72S 1T. 32.5t.
51498. DMCL. Dia. DP317. Lot No. 30501 Met-Camm. 1959. 12/46 1T with luggage racks. 32.5t.
51803. DMSL. Dia. DP210. Lot No. 30588 Met-Camm. 1959. –/72 1T. 32.5 t.

53160–53163. DMSL. Dia. DP214. Lot No. 30253 Met-Camm. 1956. –/72 1T. 32.5 t.
53170–53171. DMSL. Dia. DP214. Lot No. 30255 Met-Camm. 1957. –/72 1T. 32.5 t.
53177. DMSL. Dia. DP214. Lot No. 30256 Met-Camm. 1957. –/72 1T. 32.5 t.
53266–53269. DMSL. Dia. DP210. Lot No. 30267 Met-Camm. 1957. –/72 1T. 32.5 t.
53322–53327. DMCL. Dia. DP317. Lot No. 30276 Met-Camm. 1958. 12/46 1T with luggage racks. 32.5 t.
53746. DMSL. Dia. DP210. Lot No. 30271 Met-Camm. 1957. –/72 1T. 32.5 t.
54055–54061. DTSL. Dia. DS206. Lot No. 30260 Met-Camm. 1957. –/72 1T. 25.5 t.
54062–54085. DTSL. Dia. DS206. Lot No. 30262 Met-Camm. 1957. –/72 1T. 25.5 t.
54091. DTSL. Dia. DS211. Lot No. 30262 Met-Camm. 1957. –/72 1T. 25.5 t.
54343–54408. DTSL. Dia. DS206. Lot No. 30468 Met-Camm. 1958. –/72 1T. 25.5 t.
59303. TSL. Dia. DT202. Lot No. 30273 Met-Camm. 1957. –/71 1T. 25.5 t.
59539. TSL. Dia. DT202. Lot No. 30502 Met-Camm. 1959. –/71 1T. 25.5 t.

Refurbished 2-car sets. DMBS–DTSL.

101 651	**RR**	A		ZD(S)	53201	54379
101 653	**RR**	A	*NW*	LO	51426	54358
101 654	**RR**	A	*NW*	LO	51800	54408
101 655	**RR**	A	*NW*	LO	51428	54062
101 656	**RR**	A	*NW*	LO	51230	54056
101 657	**RR**	A	*NW*	LO	53211	54085
101 658	**RR**	A	*NW*	LO	51175	54091
101 659	**RR**	A	*NW*	LO	51213	54352
101 660	**RR**	A	*NW*	LO	51189	54343
101 661	**RR**	A	*NW*	LO	51463	54365
101 662	**RR**	A	*NW*	LO	53228	54055
101 663	**RR**	A	*NW*	LO	51201	54347
101 664	**RR**	A	*NW*	LO	51442	54061
101 665	**RR**	A	*NW*	LO	51429	54393

Refurbished 2-car sets. DMBS–DMSL.
Non-Standard Livery:
• 101 692 is 'Caledonian' Blue with orange/yellow stripes.

101 676	**RR**	A	*NW*	LO	51205	51803
101 677	**RR**	A	*NW*	LO	51179	51496
101 678	**RR**	A	*NW*	LO	51210	53746
101 679	**RR**	A	*NW*	LO	51224	51533
101 680	**RR**	A	*NW*	LO	53204	53163
101 681	**RR**	A	*NW*	LO	51228	51506
101 682	**RR**	A	*NW*	LO	53256	51505
101 683	**RR**	A	*NW*	LO	51177	53269
101 684	**S**	A	*SR*	CK	51187	51509
101 685	**G**	A	*NW*	LO	53164	53160
101 686	**S**	A		CK(S)	51231	51500
101 687	**S**	A	*SR*	CK	51247	51512
101 688	**S**	A	*SR*	CK	51431	51501
101 689	**S**	A	*SR*	CK	51185	51511
101 690	**S**	A	*SR*	CK	51435	53177
101 691	**S**	A	*SR*	CK	51253	53171
101 692	**O**	A	*SR*	CK	53253	53170
101 693	**S**	A	*SR*	CK	51192	53266

| 101 694 | **S** | A | *SR* | CK | 51188 | 53268 |
| 101 695 | **S** | A | *SR* | CK | 51226 | 51499 |

Refurbished Trailers. TSL.
Note: These may be added to DMBS–DMSL formations as required.

| Spare | **RR** | A | | CH(S) | 59303 |
| Spare | **G** | A | | CH(S) | 59539 |

Facelifted 2-car sets. DMBS–DMCL (declassified).

L835	**RR**	A	*NW*	LO	51432	51498
L840	**N**	A	*NW*	LO	53311	53322
L842	**N**	A	*SO*	ZA	53314	53327

CLASS 117   2- or 3-Car Unit

DMBS–TSL–DMS or DMBS–DMS.
Engines: Two Leyland 680/1 of 112 kW (150 hp) at 1800 rpm per power car.
Gangways: GWR suspension type.
Bogies: DD10 (motor) and DT9 (trailer).
Dimensions: 20.45 x 2.82 x 3.86 m.
Seating Layout: 3+2 facing.

DMBS. Dia. DQ220. Lot No. 30546 Pressed Steel 1959–60. –/65. 36.5 t.
TSL. Dia. DT230. Lot No. 30547 Pressed Steel 1959–60. –/86 2T. 30.5 t.
DMS. Dia. DP221. Lot No. 30548 Pressed Steel 1959–60. –/89. 36.5 t.

Refurbished 3-car sets. DMBS–TSL–DMS.

117 301	**RR**	A	*SR*	HA	51353	59505	51395
117 306	**RR**	A	*SR*	HA	51369	59521	51411
117 308	**RR**	A	*SR*	HA	51371	59509	51413
117 310	**RR**	A	*SR*	HA	51373	59486	51381
117 311	**RR**	A	*SR*	HA	51352	59500	51376
117 313	**RR**	A	*SR*	HA	51339	59492	51382

Facelifted 2-car sets. DMBS–DMS.

L700	**N**	A	*SL*	BY		51374
117 701	**N**	A	*SL*	BY	51350	51392
L702	**N**	A	*SL*	BY	51356	51398
L704	**N**	A	*SL*	BY	51341	51383
L705	**N**	A	*SL*	BY	51358	51375
L706	**N**	A	*SL*	BY	51366	51408
L707	**N**	A		BY(S)	51335	51377
L708	**N**	A		BY(S)	51336	51378
117 709	**N**	A		BY(S)	51344	51386
L720	**N**	A	*SL*	BY	51354	51396
L721	**N**	A	*SL*	BY(S)	51363	51405
117 724	**N**	A	*SL*	BY	51333	51400
Spare	**CH**	A		BY(S)	51368	
Spare	**N**	A		BY(S)	51332	51361

Name: 51358   LESLIE CRABBE

CLASS 121   Single Car Unit

DMBS.
Engines: Two Leyland 1595 of 112 kW (150 hp) at 1800 rpm.
Gangways: Non gangwayed single cars with cabs at each end.
Bogies: DD10.
Dimensions: 20.45 x 2.82 x 3.87 m.
Seating Layout: 3+2 facing.

DMBS. Dia. DX201. Lot No. 30518 Pressed Steel 1960. –/65. 38.0 t.

L127	**N**	A	*SL*	BY	55027
121 129	**N**	A	*SL*	BY	55029
L131	**N**	A	*SL*	BY	55031

Name:
55029   MARSTON VALE

CLASS 122   Route Learning Single Car Unit

DM. Converted 1995 from DMBS.
Engines: Two Leyland 1595 of 112 kW (150 hp) at 1800 rpm.
Gangways: Non gangwayed single car with cab at each end.
Bogies: DD10.
Dimensions: 20.45 x 2.82 x 3.87 m.

DM. Dia. DZ5??. Lot No. 30419 Gloucester 1958. Converted by ABB Doncaster 1995. 36.5 t.

–	**LH** E	*E*	TE	55012	

1.2. SECOND GENERATION DMUS

Unit Types

Vehicles conform to one of the six basic types of vehicle as listed below unless otherwise stated:

Pacer/Railbus. Folding power operated exterior doors. Bus-type largely unidirectional 3+2 (2+2 on class 141) seating. Limited luggage space. Four-wheel chassis, wheel arrangement 1–A. Gangwayed within unit only. 75 mph.

Sprinter. High backed power operated exterior double doors to large entrance vestibules. High backed largely unidirectional 3 + 2 seating. Limited luggage space. Bogied chassis, wheel arrangement 2–B. Gangwayed throughout (not Classes 150/0 and 150/1). 75 mph.

Super Sprinter. Sliding or sliding plug power-operated exterior doors. High backed 2+2 largely unidirectional seating with some tables. Gangwayed throughout. Bogied chassis, wheel arrangement 2–B. 75 mph.

Express. Sliding plug power-operated exterior doors. Air conditioning equipment. High backed 2+2 half-facing and half-unidirectional seating with some tables. Gangwayed throughout. Bogied chassis, wheel arrangement 2–B. 90 mph.

Network Turbo. Sliding power operated exterior double doors to large entrance vestibules. 3+2 seating. Limited luggage space. Gangwayed within unit only. Bogied chassis, wheel arrangement 2–B. 75 or 90 mph.

Clubman/Turbostar. Sliding power operated exterior double doors to large entrance vestibules. Air conditioning equipment. 2+2 facing/unidirectional seating. Limited luggage space. Gangwayed within unit only. Bogied chassis, wheel arrangement 2–B. 100 mph.

Standard Features

The following features are standard unless otherwise stated:

Public Address System: All vehicles have public address equipment, with transmission equipment in driving vehicles only.

Gangways: All vehicles have flexible diaphragm gangways.

Transmission: Hydraulic. Voith T211r with cardan shafts to Gmeinder GM190 final drive.

Couplers: Pacer/Railbus types – BSI automatic at driving ends, bar couplings at non-driving ends. Other types – BSI automatic throughout.

Brakes: All vehicles are equipped with electro-pneumatic and air brakes.

Multiple Working: Second Generation units are currently split into two groups. Vehicles may operate in multiple within a group, but not with other groups.

Group A: Classes 141–158 and 170.
Group B: Classes 165–168.

CLASS 141   2-Car Railbus

DMS–DMSL. Built from Leyland National bus components on BREL
underframe. The units leased by Serco Railtest are for conversion to track
vegetation control units.
Engines: One Leyland TL11/65 of 157 kW (210 hp) at 1950 rpm (* Cummins
LTA10-R of 172 kW at 2100 rpm) per car.
Transmission: Mechanical. SCG R500 4-speed epicyclic gearbox with cardan
shafts to SCG RF420i final drive (* Hydraulic. Voith T211r with Gmeinder final
drive).
Doors: Four-leaf folding.   **Dimensions:** 15.45 x 2.50 x 3.91 m.

DMS. Dia. DP228 Lot No. 30977 BREL Derby 1983–84. Modified by Barclay
1988–89. –/50. 26.0 t.
DMSL. Dia. DP229 Lot No. 30978 BREL Derby 1983–84. Modified by Barclay
1988–89. –/44 1T. 26.5 t.

141 101		**WY**	P		NL(S)	55521 55541
141 102		**WY**	P		HT(S)	55502 55522
141 103		**WY**	P		ZB(S)	55523 55503
141 105		**WY**	P	*SO*	ZA	55525 55505
141 106		**WY**	P		ZB(S)	55526 55506
141 107		**WY**	P		ZB(S)	55527 55507
141 108		**WY**	P		ZB(S)	55508 55528
141 109		**WY**	P		HT(S)	55529 55509
141 110		**WY**	P		ZB(S)	55530 55510
141 111		**WY**	P		HT(S)	55511 55531
141 112		**WY**	P	*SO*	ZA	55532 55512
141 113	*	**WY**	P		NL(S)	55513 55533
141 114		**WY**	P		NL(S)	55534 55514
141 115		**WY**	P		HT(S)	55515 55535
141 116		**WY**	P		ZB(S)	55516 55536
141 117		**WY**	P		HT(S)	55517 55537
141 118		**WY**	P	*SO*	ZA	55518 55538
141 119		**WY**	P		NL(S)	55519 55539
141 120		**WY**	P		ZB(S)	55520 55540

CLASS 142   2-Car Pacer

DMS–DMSL. Development of Class 141 with wider body.
Engines: One Cummins LTA10-R of 172 kW (230 hp) at 2100 rpm († One Perkins
2006-TWH of 172 kW (230 hp) at 2100 rpm) per car.
Doors: Twin-leaf folding.
Dimensions: 15.55 x 2.80 x 3.86 m.

55542–55591. DMS. Dia. DP234 (* DP271) Lot No. 31003 BREL Derby 1985–
86. –/62 (* –/56 Refurbished with high backed seats). 24.5 t.
55592–55641. DMSL. Dia. DP235 (* DP272) Lot No. 31004 BREL Derby 1985–86.
–/59 1T (* –/50 1T Refurbished with high backed seats). 25.0 t.
55701–55746. DMS. Dia. DP234 (* DP271) Lot No. 31013 BREL Derby 1986–
87. –/62 (* –/56 Refurbished with high backed seats). 23.3 t.

▲ Strathclyde PTE liveried 101 695 (51226 + 51499) at Glasgow Central after arrival with a service from Paisley Canal on 5th October 1998. **Bob Sweet**

▼ 117 706 (51366 + 51408) at Bedford, forming the 14.40 Silverlink service to Bletchley on 9th October 1998. **Peter Fox**

▲ 121 029 (55029) leads L127 (55027) as the pair arrive at Bletchley with the 12.46 from Bedford on 9th October 1998. **Peter Fox**

▼ Class 142 are the only class of DMU to still appear in Tyne & Wear PTE livery. Outside the PTE area at Carlisle, 142 017 departs with the 17.26 to Sunderland on 19th April 1998. **Kevin Conkey**

▲ The first Class 142 to appear in Northern Spirit livery was 142 068, seen here at Sheffield on 21st May 1998. **Peter Fox**

▼ 143 624 and 143 617 pass Fairwood Junction, near Westbury, with a train for Bristol Temple Meads on 28th June 1998. **Hugh Ballantyne**

144 020 passes under the signal gantry at Falsgrave, Scarborough, with the 11.22 Scarborough–Leeds on 12th August 1998. **Brian Denton**

▲ 150 141, wearing Greater Manchester PTE livery, stands at Delamere whilst working the 13.01 Chester–Southport on 18th September 1996. **George Allsop**

▼ 150 216 arrives at the recently re-opened Creswell station on the 'Robin Hood Line' between Nottingham and Worksop with the 17.33 Worksop–Nottingham on 20th June 1998. **Peter Fox**

153 359 departs from Dalston (Cumbria) on May 2nd 1998 with the 06.55 Barrow-in-Furness–Carlisle.   **Kevin Conkey**

▲ 155 341 approaches Micklefield on the 07.47 Blackpool North–Scarborough on 13th October 1997. **John G. Teasdale**

▼ The 17.11 Barrow-in-Furness–Carlisle was unusually worked by North West Regional Railways liveried 156 441 on 28th April 1998. **Dave McAlone**

Strathclyde PTE's attractive carmine & cream livery has only been applied to a few DMU vehicles. 156 494 leaves Gretna Green on 12th June 1998 with the 12.03 Glasgow Central–Carlisle. **Kevin Conkey**

55747–55792. DMSL. Dia. DP235 (*DP 272) Lot No. 31014 BREL Derby 1986–87. –/59 1T (* –/56 Refurbished with high backed seats). 25.0 t.
Non Standard Livery:
- 55709 is light blue/dark blue with white stripes.

142 001		**GM**	A	*NW*	NH	55542	55592
142 002		**GM**	A	*NW*	NH	55543	55593
142 003		**GM**	A	*NW*	NH	55544	55594
142 004		**GM**	A	*NW*	NH	55545	55595
142 005		**GM**	A	*NW*	NH	55546	55596
142 006		**GM**	A	*NW*	NH	55547	55597
142 007		**GM**	A	*NW*	NH	55548	55598
142 008		**GM**	A	*NW*	NH	55549	55599
142 009		**GM**	A	*NW*	NH	55550	55600
142 010		**GM**	A	*NW*	NH	55551	55601
142 011		**GM**	A	*NW*	NH	55552	55602
142 012		**GM**	A	*NW*	NH	55553	55603
142 013		**GM**	A	*NW*	NH	55554	55604
142 014		**GM**	A	*NW*	NH	55555	55605
142 015	*	**RR**	A	*NS*	HT	55556	55606
142 016	*	**RR**	A	*NS*	HT	55557	55607
142 017	*	**TW**	A	*NS*	HT	55558	55608
142 018		**TW**	A	*NS*	HT	55559	55609
142 019	*	**TW**	A	*NS*	HT	55560	55610
142 020		**TW**	A	*NS*	HT	55561	55611
142 021		**TW**	A	*NS*	HT	55562	55612
142 022		**TW**	A	*NS*	HT	55563	55613
142 023		**RR**	A	*NW*	NH	55564	55614
142 024		**RR**	A	*NS*	HT	55565	55615
142 025		**NS**	A	*NS*	HT	55566	55616
142 026	*	**CH**	A	*NS*	HT	55567	55617
142 027		**GM**	A	*NW*	NH	55568	55618
142 028		**GM**	A	*NW*	NH	55569	55619
142 029		**GM**	A	*NW*	NH	55570	55620
142 030		**GM**	A	*NW*	NH	55571	55621
142 031		**GM**	A	*NW*	NH	55572	55622
142 032		**GM**	A	*NW*	NH	55573	55623
142 033		**RR**	A	*NW*	NH	55574	55624
142 034		**GM**	A	*NW*	NH	55575	55625
142 035		**GM**	A	*NW*	NH	55576	55626
142 036		**RR**	A	*NW*	NH	55577	55627
142 037		**GM**	A	*NW*	NH	55578	55628
142 038		**GM**	A	*NW*	NH	55579	55629
142 039		**GM**	A	*NW*	NH	55580	55630
142 040		**GM**	A	*NW*	NH	55581	55631
142 041		**GM**	A	*NW*	NH	55582	55632
142 042		**GM**	A	*NW*	NH	55583	55633
142 043		**GM**	A	*NW*	NH	55584	55634
142 044		**RR**	A	*NW*	NH	55585	55635
142 045		**GM**	A	*NW*	NH	55586	55636
142 046		**GM**	A	*NW*	NH	55587	55637

142 047		RR	A	NW	NH	55588	55638
142 047		RR	A	NW	NH	55588	55638
142 048		RR	A	NW	NH	55589	55639
142 049		GM	A	NW	NH	55590	55640
142 050		NS	A	NS	HT	55591	55641
142 051		MT	A	NW	NH	55701	55747
142 052		MT	A	NW	NH	55702	55748
142 053		MT	A	NW	NH	55703	55749
142 054		MT	A	NW	NH	55704	55750
142 055		MT	A	NW	NH	55705	55751
142 056		MT	A	NW	NH	55706	55752
142 057		MT	A	NW	NH	55707	55753
142 058		MT	A	NW	NH	55708	55754
142 060		GM	A	NW	NH	55710	55756
142 061		GM	A	NW	NH	55711	55757
142 062		GM	A	NW	NH	55712	55758
142 063		GM	A	NW	NH	55713	55759
142 064		GM	A	NW	NH	55714	55760
142 065	*	NS	A	NS	HT	55715	55761
142 066	*	NS	A	NS	NL	55716	55762
142 067		GM	A	NW	NH	55717	55763
142 068		GM	A	NW	NH	55718	55764
142 069		GM	A	NW	NH	55719	55765
142 070		GM	A	NW	NH	55720	55766
142 071	*	RR	A	NS	HT	55721	55767
142 072		RR	A	NS	NL	55722	55768
142 073		RR	A	NS	NL	55723	55769
142 074		RR	A	NS	NL	55724	55770
142 075		RR	A	NS	NL	55725	55771
142 076		RR	A	NS	NL	55726	55772
142 077		RR	A	NS	NL	55727	55773
142 078		RR	A	NS	NL	55728	55774
142 079		RR	A	NS	NL	55729	55775
142 080		RR	A	NS	NL	55730	55776
142 081		RR	A	NS	NL	55731	55777
142 082		RR	A	NS	NL	55732	55778
142 083		RR	A	NS	NL	55733	55779
142 084	*†	RR	A	NS	HT	55734	55780
142 085	*	RR	A	CA	CF	55735	55781
142 086	*	RR	A	CA	CF	55736	55782
142 087	*	RR	A	CA	CF	55737	55783
142 088	*	RR	A	CA	CF	55738	55784
142 089	*	RR	A	CA	CF	55739	55785
142 090	*	RR	A	CA	CF	55740	55786
142 091	*	RR	A	CA	CF	55741	55787
142 092	*	RR	A	NS	NL	55742	55788
142 093		RR	A	NS	NL	55743	55789
142 094	*	RR	A	NS	HT	55744	55790
142 095		RR	A	NS	NL	55745	55791
142 096	*	RR	A	NS	HT	55746	55792
Spare		0	A		NH(S)	55709	

CLASS 143   2-Car Pacer

DMS–DMSL. Similar design to Class 142, but bodies built by Alexander on Barclay underframe.
Engines: One Cummins LTA10-R of 172 kW (230 hp) at 2100 rpm per car.
Doors: Twin-leaf folding.   **Dimensions:** 15.55 x 2.70 x 3.73 m.
Owners: 143 601/10/14 – Mid-Glamorgan County Council; 143 609 – South Glamorgan County Council; 143 617/18/19 – West Glamorgan County Council. These units are all managed by Porterbrook Leasing Company.

DMS. Dia. DP236 Lot No. 31005 Barclay 1985–86. –/62. 24.0 t.
DMSL. Dia. DP237 Lot No. 31006 Barclay 1985–86. –/60 1T. 24.5 t.

143 601	**RR**	P	*WW*	CF	55642	55667	
143 602	**RR**	P	*CA*	CF	55651	55668	
143 603	**RR**	P	*CA*	CF	55658	55669	
143 604	**RR**	P	*CA*	CF	55645	55670	
143 605	**RR**	P	*CA*	CF	55646	55671	
143 606	**RR**	P	*CA*	CF	55647	55672	
143 607	**RR**	P	*CA*	CF	55648	55673	
143 608	**RR**	P	*CA*	CF	55649	55674	
143 609	**RR**	P	*CA*	CF	55650	55675	TOM JONES
143 610	**RR**	P	*WW*	CF	55643	55676	
143 611	**RR**	P	*CA*	CF	55652	55677	
143 612	**RR**	P	*WW*	CF	55653	55678	
143 613	**RR**	P	*CA*	CF	55654	55679	
143 614	**RR**	P	*WW*	CF	55655	55680	BEWICK'S SWAN
143 615	**RR**	P	*CA*	CF	55656	55681	MUTE SWAN
143 616	**RR**	P	*CA*	CF	55657	55682	WHOOPER SWAN
143 617	**RR**	P	*WW*	CF	55644	55683	
143 618	**RR**	P	*WW*	CF	55659	55684	
143 619	**RR**	P	*WW*	CF	55660	55685	
143 620	**RR**	P	*WW*	CF	55661	55686	
143 621	**RR**	P	*WW*	CF	55662	55687	
143 622	**RR**	P	*WW*	CF	55663	55688	
143 623	**RR**	P	*WW*	CF	55664	55689	
143 624	**RR**	P	*WW*	CF	55665	55690	
143 625	**RR**	P	*WW*	CF	55666	55691	

CLASS 144   2- or 3-Car Pacer

DMS–DMSL or DMS–MS–DMSL. Similar design to Class 143, but bodies built by Alexander on BREL underframe.
Engines: One Cummins LTA10-R of 172 kW (230 hp) at 2100 rpm per car.
Doors: Twin-leaf folding.   **Dimensions:** 15.25 x 2.70 x 3.73 m.
Owner: MS type vehicles – West Yorkshire PTE. These vehicles are managed by Porterbrook Leasing Company.

DMS. Dia. DP240 Lot No. 31015 BREL Derby 1986–87. –/62 1W. 24.0 t.
MS. Dia. DR205 Lot No. 31037 BREL Derby 1987–88. –/73. 24.0 t.
DMSL. Dia. DP241 Lot No. 31016 BREL Derby 1986–87. –/60 1T. 24.5 t.

144 001	**WY**	P	*NS*	NL	55801	55824	
144 002	**WY**	P	*NS*	NL	55802	55825	
144 003	**WY**	P	*NS*	NL	55803	55826	
144 004	**WY**	P	*NS*	NL	55804	55827	
144 005	**WY**	P	*NS*	NL	55805	55828	
144 006	**WY**	P	*NS*	NL	55806	55829	
144 007	**WY**	P	*NS*	NL	55807	55830	
144 008	**WY**	P	*NS*	NL	55808	55831	
144 009	**WY**	P	*NS*	NL	55809	55832	
144 010	**WY**	P	*NS*	NL	55810	55833	
144 011	**RR**	P	*NS*	NL	55811	55834	
144 012	**RR**	P	*NS*	NL	55812	55835	
144 013	**RR**	P	*NS*	NL	55813	55836	
144 014	**WY**	P	*NS*	NL	55814	55850	55837
144 015	**WY**	P	*NS*	NL	55815	55851	55838
144 016	**WY**	P	*NS*	NL	55816	55852	55839
144 017	**WY**	P	*NS*	NL	55817	55853	55840
144 018	**WY**	P	*NS*	NL	55818	55854	55841
144 019	**WY**	P	*NS*	NL	55819	55855	55842
144 020	**WY**	P	*NS*	NL	55820	55856	55843
144 021	**WY**	P	*NS*	NL	55821	55857	55844
144 022	**WY**	P	*NS*	NL	55822	55858	55845
144 023	**WY**	P	*NS*	NL	55823	55859	55846

CLASS 150/0   3-Car Sprinter

DMSL–MS–DMS. Prototype Sprinter.
Engines: One Cummins NT-855-R4 of 213 kW (285 hp) at 2100 rpm per car.
Bogies: BX8P (powered), BX8T (non-powered).
Accommodation: 3 + 2 part unidirectional and part facing seating.
Dimensions: 20.06 x 2.82 x 3.77 m (DMS & DMSL), 20.18 x 2.82 x 3.77 m (MS).

DMSL. Dia. DP238. Lot No. 30984 BREL York 1984–85. –/72 1T. 35.8 t.
MS. Dia. DR202. Lot No. 30986 BREL York 1984–85. –/92. 34.4 t.
DMS. Dia. DP239. Lot No. 30985 BREL York 1984–85. –/76. 35.6 t.

| 150 001 | r | **CO** | A | *CT* | TS | 55200 | 55400 | 55300 |
| 150 002 | r | **CO** | A | *CT* | TS | 55201 | 55401 | 55301 |

CLASS 150/1   2- or 3-Car Sprinter

DMSL–DMS or DMSL–Class 150/2 DMSL–DMS or DMSL–Class 150/2 DMS–DMS.
Engines: One Cummins NT855R5 of 213 kW (285 hp) at 2100 rpm per car.
Bogies: BP38 (powered), BT38 (non-powered).
Dimensions: 20.06 x 2.82 x 3.77 m.
Accommodation: 3+2 facing († part unidirectional and part facing seating).
Note: For details of centre cars of 3-car units, see Class 150/2 vehicle data.

DMSL. Dia. DP238. Lot No. 31011 BREL York 1985–86. –/72 (* –/64; § –/68) 1T. 37.6 t.
DMS. Dia. DP239. Lot No. 31012 BREL York 1985–86. –/76 (* –/70; § –/66). 36.7 t.

150 010	r†	CO	A	CT	TS	52110	57226	57110
150 011	r†	CO	A	CT	TS	52111	57206	57111
150 012	r†	CO	A	CT	TS	52112	52204	57112
150 013	r†	CO	A	CT	TS	52113	52226	57113
150 014	r†	CO	A	CT	TS	52114	57204	57114
150 015	r†	CO	A	CT	TS	52115	52206	57115
150 016	r†	CO	A	CT	TS	52116	57212	57116
150 017	r†	CO	A	CT	TS	52117	57209	57117
150 101	r†	CO	A	CT	TS	52101	57101	
150 102	r†	CO	A	CT	TS	52102	57102	
150 103	r†	CO	A	CT	TS	52103	57103	
150 104	r†	CO	A	CT	TS	52104	57104	
150 105	r†	CO	A	CT	TS	52105	57105	
150 106	r†	CO	A	CT	TS	52106	57106	
150 107	r†	CO	A	CT	TS	52107	57107	
150 108	r†	CO	A	CT	TS	52108	57108	
150 109	r†	CO	A	CT	TS	52109	57109	
150 118	r†	CO	A	CT	TS	52118	57118	
150 119	r†	CO	A	CT	TS	52119	57119	
150 120	r†	CO	A	CT	TS	52120	57120	
150 121	r†	CO	A	CT	TS	52121	57121	
150 122	r†	CO	A	CT	TS	52122	57122	
150 123	r†	CO	A	CT	TS	52123	57123	
150 124	r†	CO	A	CT	TS	52124	57124	
150 125	r†	CO	A	CT	TS	52125	57125	
150 126	r†	CO	A	CT	TS	52126	57126	
150 127	r†	CO	A	CT	TS	52127	57127	
150 128	r†	CO	A	CT	TS	52128	57128	
150 129	r†	CO	A	CT	TS	52129	57129	
150 130	r†	CO	A	CT	TS	52130	57130	
150 131	r†	CO	A	CT	TS	52131	57131	
150 132	r†	CO	A	CT	TS	52132	57132	
150 133	*	GM	A	NW	NH	52133	57133	
150 134	*	GM	A	NW	NH	52134	57134	
150 135	*	GM	A	NW	NH	52135	57135	
150 136	*	GM	A	NW	NH	52136	57136	
150 137	§	GM	A	NW	NH	52137	57137	
150 138	*	GM	A	NW	NH	52138	57138	
150 139	*	GM	A	NW	NH	52139	57139	
150 140	*	GM	A	NW	NH	52140	57140	
150 141	*	GM	A	NW	NH	52141	57141	
150 142	§	GM	A	NW	NH	52142	57142	
150 143	*	PS	A	NW	NH	52143	57143	
150 144	§	PS	A	NW	NH	52144	57144	
150 145	§	PS	A	NW	NH	52145	57145	
150 146	§	RR	A	NW	NH	52146	57146	
150 147	§	PS	A	NW	NH	52147	57147	
150 148	§	PS	A	NW	NH	52148	57148	
150 149	§	PS	A	NW	NH	52149	57149	
150 150	§	PS	A	NW	NH	52150	57150	

CLASS 150/2   2-Car Sprinter

DMSL–DMS.
Engines: One Cummins NT855R5 of 213 kW (285 hp) at 2100 rpm per car.
Bogies: BP38 (powered), BT38 (non-powered).
Dimensions: 20.06 x 2.82 x 3.77 m.

DMSL. Dia. DP242. Lot No. 31017 York 1987. –/73 (†§ –/70)1T. 37.5 t.
DMS. Dia. DP243. Lot No. 31018 York 1987. –/76 (* –/68; ‡§ –/73). 36.5 t.

150 201	†	**MT**	A	*NW*	NH	52201	57201
150 202		**CO**	A	*CT*	TS	52202	57202
150 203	†	**MT**	A	*NW*	NH	52203	57203
150 205	†	**MT**	A	*NW*	NH	52205	57205
150 207	‡	**MT**	A	*NW*	NH	52207	57207
150 208		**RR**	P	*SR*	HA	52208	57208
150 210		**CO**	A	*CT*	TS	52210	57210
150 211	‡	**MT**	A	*NW*	NH	52211	57211
150 213	r*	**RR**	P	*AR*	NC	52213	57213 LORD NELSON
150 214		**CO**	A	*CT*	TS	52214	57214
150 215		**GM**	A	*NW*	NH	52215	57215
150 216		**CO**	A	*CT*	TS	52216	57216
150 217	r*	**RR**	P	*AR*	NC	52217	57217 OLIVER CROMWELL
150 218	§	**GM**	A	*NW*	NH	52218	57218
150 219	r	**RR**	P	*WW*	CF	52219	57219
150 220		**CO**	A	*CT*	TS	52220	57220
150 221	r	**RR**	P	*WW*	CF	52221	57221
150 222	§	**GM**	A	*NW*	NH	52222	57222
150 223	†	**GM**	A	*NW*	·NH	52223	57223
150 224	†	**GM**	A	*NW*	NH	52224	57224
150 225	‡	**GM**	A	*NW*	NH	52225	57225
150 227	r*	**RR**	P	*AR*	NC	52227	57227 SIR ALF RAMSEY
150 228		**RR**	P	*SR*	HA	52228	57228
150 229	r*	**RR**	P	*AR*	NC	52229	57229 GEORGE BORROW
150 230	r	**RR**	P	*WW*	CF	52230	57230
150 231	r*	**RR**	P	*AR*	NC	52231	57231 KING EDMUND
150 232	r	**RR**	P	*WW*	CF	52232	57232
150 233	r	**RR**	P	*WW*	CF	52233	57233
150 234	r	**RR**	P	*WW*	CF	52234	57234
150 235	r*	**RR**	P	*AR*	NC	52235	57235 CARDINAL WOLSEY
150 236	r	**RR**	P	*WW*	CF	52236	57236
150 237	r*	**RR**	P	*AR*	NC	52237	57237 HEREWARD THE WAKE
150 238	r	**RR**	P	*WW*	CF	52238	57238
150 239	r	**RR**	P	*WW*	CF	52239	57239
150 240	r	**RR**	P	*WW*	CF	52240	57240
150 241	r	**RR**	P	*WW*	CF	52241	57241
150 242	r	**RR**	P	*WW*	CF	52242	57242
150 243	r	**RR**	P	*WW*	CF	52243	57243
150 244	r	**RR**	P	*WW*	CF	52244	57244
150 245		**RR**	P	*SR*	HA	52245	57245
150 246	r	**RR**	P	*WW*	CF	52246	57246

150 247	r	**RR**	P	*WW*	CF	52247	57247	
150 248	r	**RR**	P	*WW*	CF	52248	57248	
150 249	r	**RR**	P	*WW*	CF	52249	57249	
150 250		**RR**	P	*SR*	HA	52250	57250	
150 251	r	**RR**	P	*WW*	CF	52251	57251	
150 252		**RR**	P	*SR*	HA	52252	57252	
150 253	r	**RR**	P	*WW*	CF	52253	57253	
150 254	r	**RR**	P	*WW*	CF	52254	57254	
150 255	r*	**RR**	P	*AR*	NC	52255	57255	HENRY BLOGG
150 256		**RR**	P	*SR*	HA	52256	57256	
150 257	r*	**RR**	P	*AR*	NC	52257	57257	QUEEN BOADICEA
150 258		**RR**	P	*SR*	HA	52258	57258	
150 259		**RR**	P	*SR*	HA	52259	57259	
150 260		**RR**	P	*SR*	HA	52260	57260	
150 261	r	**RR**	P	*WW*	CF	52261	57261	
150 262		**RR**	P	*SR*	HA	52262	57262	
150 263	r	**RR**	P	*WW*	CF	52263	57263	
150 264		**RR**	P	*SR*	HA	52264	57264	
150 265	r	**RR**	P	*WW*	CF	52265	57265	
150 266	r	**RR**	P	*WW*	CF	52266	57266	
150 267	r	**RR**	P	*WW*	CF	52267	57267	
150 268		**RR**	P	*NS*	NL	52268	57268	
150 269		**RR**	P	*NS*	NL	52269	57269	
150 270		**RR**	P	*NS*	NL	52270	57270	
150 271		**RR**	P	*NS*	NL	52271	57271	
150 272		**RR**	P	*NS*	NL	52272	57272	
150 273		**RR**	P	*NS*	NL	52273	57273	
150 274		**RR**	P	*NS*	NL	52274	57274	
150 275		**RR**	P	*CA*	CF	52275	57275	
150 276		**RR**	P	*CA*	CF	52276	57276	
150 277		**RR**	P	*CA*	CF	52277	57277	
150 278		**RR**	P	*CA*	CF	52278	57278	
150 279		**RR**	P	*CA*	CF	52279	57279	
150 280		**RR**	P	*CA*	CF	52280	57280	
150 281		**RR**	P	*CA*	CF	52281	57281	
150 282		**RR**	P	*CA*	CF	52282	57282	
150 283		**RR**	P	*SR*	HA	52283	57283	
150 284		**RR**	P	*SR*	HA	52284	57284	
150 285		**RR**	P	*SR*	HA	52285	57285	EDINBURGH–BATHGATE 1986–1996

CLASS 153   Single Car Super Sprinter

DMSL. Converted from Class 155/0 2-car units.
Engine: One Cummins NT855R5 of 213 kW (285 hp) at 2100 rpm.
Bogies: P3-10 (powered), BT38 (non-powered).
Dimensions: 23.29 x 2.69 x 3.75 m.
Doors: Sliding plug.

DMSL. Dia. DX203. Lot No. 31115 Leyland Bus 1987–88. Converted by Hunslet-Barclay 1991–92. –/72 (* –/66) 1TD. 41.2 t.

153 301		**RR**	A	NS	HT	52301
153 302	r	**RR**	A	WW	CF	52302
153 303	r	**RR**	A	WW	CF	52303
153 304		**RR**	A	NS	HT	52304
153 305	r	**RR**	A	WW	CF	52305
153 306	r*	**RR**	P	AR	NC	52306	EDITH CAVELL
153 307		**RR**	A	NS	HT	52307
153 308	r	**RR**	A	WW	CF	52308
153 309	r*	**RR**	P	AR	NC	52309	GERARD FIENNES
153 310		**RR**	P	NW	NH	52310
153 311	r*	**RR**	P	AR	NC	52311	JOHN CONSTABLE
153 312	r	**RR**	A	WW	CF	52312
153 313		**RR**	P	NW	NH	52313
153 314	r*	**RR**	P	AR	NC	52314	DELIA SMITH
153 315		**RR**	A	NS	HT	52315
153 316		**RR**	P	NW	NH	52316
153 317		**RR**	A	NS	HT	52317
153 318	r	**RR**	A	WW	CF	52318
153 319		**RR**	A	NS	HT	52319
153 320	r	**RR**	P	CT	TS	52320
153 321	r	**RR**	P	CT	TS	52321
153 322	r*	**RR**	P	AR	NC	52322	BENJAMIN BRITTEN
153 323	r	**RR**	P	CT	TS	52323
153 324		**RR**	P	NW	NH	52324
153 325	r	**RR**	P	CT	TS	52325
153 326	r*	**RR**	P	AR	NC	52326	TED ELLIS
153 327	r	**RR**	A	WW	CF	52327
153 328		**RR**	A	NS	HT	52328
153 329	r	**RR**	P	CT	TS	52329
153 330		**RR**	P	NW	NH	52330
153 331		**RR**	A	NS	HT	52331
153 332		**RR**	P	NW	NH	52332
153 333	r	**RR**	P	CT	TS	52333
153 334	r	**RR**	P	CT	TS	52334
153 335	r*	**RR**	P	AR	NC	52335	MICHAEL PALIN
153 351		**RR**	A	NS	HT	57351
153 352		**RR**	A	NS	HT	57352
153 353	r	**RR**	A	WW	CF	57353
153 354	r	**RR**	P	CT	TS	57354
153 355	r	**RR**	A	WW	CF	57355

153 356	r	**RR**	P	*CT*	TS	57356
153 357		**RR**	A	*NS*	HT	57357
153 358		**RR**	P	*NW*	NH	57358
153 359		**RR**	P	*NW*	NH	57359
153 360		**RR**	P	*NW*	NH	57360
153 361		**RR**	P	*NW*	NH	57361
153 362	r	**RR**	A	*WW*	CF	57362
153 363		**RR**	P	*NW*	NH	57363
153 364	r	**RR**	P	*CT*	TS	57364
153 365	r	**RR**	P	*CT*	TS	57365
153 366	r	**RR**	P	*CT*	TS	57366
153 367		**RR**	P	*NW*	NH	57367
153 368	r	**RR**	A	*WW*	CF	57368
153 369	r	**RR**	P	*CT*	TS	57369
153 370	r	**RR**	A	*WW*	CF	57370
153 371	r	**RR**	P	*CT*	TS	57371
153 372	r	**RR**	A	*WW*	CF	57372
153 373	r	**RR**	A	*WW*	CF	57373
153 374	r	**RR**	A	*WW*	CF	57374
153 375	r	**RR**	P	*CT*	TS	57375
153 376	r	**RR**	P	*CT*	TS	57376
153 377	r	**RR**	A	*WW*	CF	57377
153 378		**RR**	A	*NS*	HT	57378
153 379	r	**RR**	P	*CT*	TS	57379
153 380	r	**RR**	A	*WW*	CF	57380
153 381	r	**RR**	P	*CT*	TS	57381
153 382		**RR**	A	*WW*	CF	57382
153 383	r	**RR**	P	*CT*	TS	57383
153 384	r	**RR**	.P	*CT*	TS	57384
153 385	r	**RR**	P	*CT*	TS	57385

CLASS 155/1   2-Car Super Sprinter

DMSL–DMS.
Engines: One Cummins NT855R5 of 213 kW (285 hp) at 2100 rpm per car.
Bogies: P3-10 (powered), BT38 (non-powered).
Dimensions: 23.21 x 2.69 x 3.75 m.
Doors: Sliding plug.
Owner: These units are owned by West Yorkshire PTE but are managed by Porterbrook Leasing Company.

DMSL. Dia. DP248. Lot No. 31057 Leyland Bus 1988. –/80 1TD. 39.0 t.
DMS. Dia. DP249. Lot No. 31058 Leyland Bus 1988. –/80. 38.6 t.

155 341	**WY**	P	*NS*	NL	52341	57341
155 342	**WY**	P	*NS*	NL	52342	57342
155 343	**WY**	P	*NS*	NL	52343	57343
155 344	**WY**	P	*NS*	NL	52344	57344
155 345	**WY**	P	*NS*	NL	52345	57345
155 346	**WY**	P	*NS*	NL	52346	57346
155 347	**WY**	P	*NS*	NL	52347	57347

CLASS 156

2-Car Super Sprinter

DMSL–DMS.
Engines: One Cummins NT855R5 of 213 kW (285 hp) at 2100 rpm per car.
Bogies: P3-10 (powered), BT38 (non-powered).
Dimensions: 23.03 x 2.73 x 3.81 m.   **Doors:** Sliding.
Owner: 156 500–514 are owned by Strathclyde PTE, but are managed by Angel Train Contracts.

DMSL. Dia. DP244. Lot No. 31028 Met-Camm. 1987–89. –/74 (*† –/72; § –/70)
1TD. 35.8 t.
DMS. Dia. DP245. Lot No. 31029 Met-Camm. 1987–89. –/76 (* 72). 35.8 t.

156 401	r†	**RR**	P	*CT*	TS	52401	57401
156 402	r†	**RR**	P	*CT*	TS	52402	57402
156 403	r†	**RR**	P	*CT*	TS	52403	57403
156 404	r†	**RR**	P	*CT*	TS	52404	57404
156 405	r†	**RR**	P	*CT*	TS	52405	57405
156 406	r†	**RR**	P	*CT*	TS	52406	57406
156 407	r†	**RR**	P	*CT*	TS	52407	57407
156 408	r†	**RR**	P	*CT*	TS	52408	57408
156 409	r†	**RR**	P	*CT*	TS	52409	57409
156 410	r†	**RR**	P	*CT*	TS	52410	57410
156 411	r†	**RR**	P	*CT*	TS	52411	57411
156 412	r†	**RR**	P	*CT*	TS	52412	57412
156 413	r†	**RR**	P	*CT*	TS	52413	57413
156 414	r†	**RR**	P	*CT*	TS	52414	57414
156 415	r†	**RR**	P	*CT*	TS	52415	57415
156 416	r†	**RR**	P	*CT*	TS	52416	57416
156 417	r†	**RR**	P	*CT*	TS	52417	57417
156 418	r†	**RR**	P	*CT*	TS	52418	57418
156 419	r†	**RR**	P	*CT*	TS	52419	57419
156 420	§	**RN**	P	*NW*	NH	52420	57420
156 421	§	**RN**	P	*NW*	NH	52421	57421
156 422	r†	**RR**	P	*CT*	TS	52422	57422
156 423	§	**RN**	P	*NW*	NH	52423	57423
156 424	§	**RN**	P	*NW*	NH	52424	57424
156 425	§	**RN**	P	*NW*	NH	52425	57425
156 426	§	**RN**	P	*NW*	NH	52426	57426
156 427	§	**RN**	P	*NW*	NH	52427	57427
156 428	§	**RN**	P	*NW*	NH	52428	57428
156 429	§	**RN**	P	*NW*	NH	52429	57429
156 430	r*	**RR**	A	*SR*	CK	52430	57430
156 431	r*	**RR**	A	*SR*	CK	52431	57431
156 432	r*	**RR**	A	*SR*	CK	52432	57432
156 433	r*	**CC**	A	*SR*	CK	52433	57433	The Kilmarnock Edition
156 434	r*	**RR**	A	*SR*	CK	52434	57434
156 435	r*	**RR**	A	*SR*	CK	52435	57435
156 436	*	**RR**	A	*SR*	CK	52436	57436
156 437	*	**RR**	A	*SR*	CK	52437	57437

156 438		**PS**	A	*NS*	NL	52438	57438	
156 439	r*	**RR**	A	*SR*	CK	52439	57439	
156 440	§	**RN**	P	*NW*	NH	52440	57440	
156 441	§	**RN**	P	*NW*	NH	52441	57441	
156 442	*	**RR**	A	*SR*	CK	52442	57442	
156 443		**PS**	A	*NS*	HT	52443	57443	
156 444		**PS**	A	*NS*	HT	52444	57444	
156 445	r*	**RR**	A	*SR*	CK	52445	57445	
156 446	r*	**RR**	A	*SR*	IS	52446	57446	
156 447	r*	**PS**	A	*SR*	CK	52447	57447	
156 448		**PS**	A	*NS*	HT	52448	57448	
156 449	r*	**PS**	A	*SR*	CK	52449	57449	saint columba
156 450	r*	**RR**	A	*SR*	CK	52450	57450	
156 451		**PS**	A	*NS*	HT	52451	57451	
156 452	§	**RN**	P	*NW*	NH	52452	57452	
156 453	r*	**RR**	A	*SR*	CK	52453	57453	
156 454		**PS**	A	*NS*	HT	52454	57454	Whitby Endeavour
156 455	§	**RN**	P	*NW*	NH	52455	57455	
156 456	r*	**RR**	A	*SR*	CK	52456	57456	
156 457	r*	**RR**	A	*SR*	IS	52457	57457	
156 458	r*	**RR**	A	*SR*	IS	52458	57458	
156 459	§	**RN**	P	*NW*	NH	52459	57459	
156 460	§	**RN**	P	*NW*	NH	52460	57460	
156 461	§	**RN**	P	*NW*	NH	52461	57461	
156 462	r*	**RR**	A	*SR*	CK	52462	57462	
156 463		**PS**	A	*NS*	HT	52463	57463	
156 464	§	**RN**	P	*NW*	NH	52464	57464	
156 465	r*	**RR**	A	*SR*	CK	52465	57465	Bonny Prince Charlie
156 466	r*	**RR**	A	*SR*	CK	52467	57467	
156 468		**PS**	A	*NS*	NL	52468	57468	
156 469		**PS**	A	*NS*	HT	52469	57469	
156 470		**PS**	A	*NS*	NL	52470	57470	
156 471		**PS**	A	*NS*	NL	52471	57471	
156 472		**PS**	A	*NS*	NL	52472	57472	
156 473		**PS**	A	*NS*	NL	52473	57473	
156 474	r*	**RR**	A	*SR*	IS	52474	57474	
156 475		**PS**	A	*NS*	NL	52475	57475	
156 476	*	**PS**	A	*NS*	CK	52476	57476	
156 477	r*	**RR**	A	*SR*	IS	52477	57477	HIGHLAND FESTIVAL
156 478	r*	**PS**	A	*SR*	IS	52478	57478	
156 479		**PS**	A	*NS*	NL	52479	57479	
156 480		**PS**	A	*NS*	NL	52480	57480	
156 481		**PS**	A	*NS*	NL	52481	57481	
156 482		**PS**	A	*NS*	NL	52482	57482	
156 483		**PS**	A	*NS*	NL	52483	57483	
156 484		**PS**	A	*NS*	NL	52484	57484	
156 485	r*	**RR**	A	*SR*	CK	52485	57485	
156 486		**PS**	A	*NS*	NL	52486	57486	
156 487		**PS**	A	*NS*	NL	52487	57487	
156 488		**PS**	A	*NS*	NL	52488	57488	
156 489		**PS**	A	*NS*	NL	52489	57489	

156 490		**PS**	A	*NS*	NL	52490 57490
156 491		**PS**	A	*NS*	NL	52491 57491
156 492	r*	**RR**	A	*SR*	CK	52492 57492
156 493	r*	**RR**	A	*SR*	CK	52493 57493
156 494	r*	**CC**	A	*SR*	CK	52494 57494
156 495	r*	**RR**	A	*SR*	CK	52495 57495
156 496	r*	**RR**	A	*SR*	CK	52496 57496
156 497		**PS**	A	*NS*	NL	52497 57497
156 498		**PS**	A	*NS*	NL	52498 57498
156 499	r*	**PS**	A	*SR*	IS	52499 57499
156 500	r*	**RR**	A	*SR*	CK	52500 57500
156 501		**S**	A	*SR*	CK	52501 57501
156 502		**S**	A	*SR*	CK	52502 57502
156 503		**S**	A	*SR*	CK	52503 57503
156 504	r*	**S**	A	*SR*	CK	52504 57504
156 505	r*	**S**	A	*SR*	CK	52505 57505
156 506		**S**	A	*SR*	CK	52506 57506
156 507		**S**	A	*SR*	CK	52507 57507
156 508		**S**	A	*SR*	CK	52508 57508
156 509		**CC**	A	*SR*	CK	52509 57509
156 510		**S**	A	*SR*	CK	52510 57510
156 511		**S**	A	*SR*	CK	52511 57511
156 512		**S**	A	*SR*	CK	52512 57512
156 513		**S**	A	*SR*	CK	52513 57513
156 514		**S**	A	*SR*	CK	52514 57514

CLASS 158/0   2- or 3-Car Express Unit

DMSL(B)–DMSL(A), * DMCL–DMSL, DMSL(B)–MSL–DMSL(A), or § DMSL–MSL–DMCL.
Engines: One Cummins NTA855R1 of 261 kW (350 hp) at 1900 rpm (‡ One Cummins NTA855R3 of 298 kW (400 hp) at 1900 rpm; † One Perkins 2006-TWH of 261 kW (350 hp) at 2100 rpm) per car.
Bogies: BREL P4-4 (powered), BREL T4-4 (non-powered).
Dimensions: 23.21 x 2.82 x ?.?? m.

DMSL(B). Dia. DP252. Lot No. 31051 BREL Derby 1990–2. –/68 (• –/66)1TD 1W. 38.1 t.
52701–52746. DMCL. Dia. DP252. Lot No. 31051 BREL Derby 1989–90. 15/51 1TD 1W. 38.1 t.
52747–52751. DMCL. Dia. DP323. Lot No. 31051 BREL Derby 1989–90. 9/51 1TD 1W. 38.1 t.
52757–52759. DMCL. Dia. DP333. Lot No. 31051 BREL Derby 1989–90. 16/51 1TD 1W. 38.1 t.
52765. DMCL. Dia. DP3??. Lot No. 31051 BREL Derby 1989–90. 16/5` 1TD 1W. 38.1 t.
MSL. Dia. DR207. Lot No. 31050 BREL Derby 1991. 37.1 t. –/70 2T.
DMSL (A) (§ DMCL). Dia. DP251. Lot No. 31052 BREL Derby 1990–92. –/70 (• –/68; § 32/32) 1T. 38.1 t.

158 701	*	**RE**	P	*SR*	HA	52701	57701	The Scottish Claymores
158 702	*	**RE**	P	*SR*	HA	52702	57702	BBC Scotland – 75 Years
158 703	*	**RE**	P	*SR*	HA	52703	57703	
158 704	*	**RE**	P	*SR*	HA	52704	57704	
158 705	*	**RE**	P	*SR*	HA	52705	57705	
158 706	*	**RE**	P	*SR*	HA	52706	57706	
158 707	*	**RE**	P	*SR*	HA	52707	57707	
158 708	*	**RE**	P	*SR*	HA	52708	57708	
158 709	*	**RE**	P	*SR*	HA	52709	57709	
158 710	*	**RE**	P	*SR*	HA	52710	57710	
158 711	*	**RE**	P	*SR*	HA	52711	57711	
158 712	*	**RE**	P	*SR*	HA	52712	57712	
158 713	*	**RE**	P	*SR*	HA	52713	57713	
158 714	*	**RE**	P	*SR*	HA	52714	57714	
158 715	*	**RE**	P	*SR*	HA	52715	57715	Haymarket
158 716	*	**RE**	P	*SR*	HA	52716	57716	
158 717	*	**RE**	P	*SR*	HA	52717	57717	
158 718	*	**RE**	P	*SR*	HA	52718	57718	
158 719	*	**RE**	P	*SR*	HA	52719	57719	
158 720	*	**RE**	P	*SR*	HA	52720	57720	
158 721	*	**RE**	P	*SR*	HA	52721	57721	
158 722	*	**RE**	P	*SR*	HA	52722	57722	
158 723	*	**RE**	P	*SR*	HA	52723	57723	
158 724	*	**RE**	P	*SR*	HA	52724	57724	
158 725	*	**RE**	P	*SR*	HA	52725	57725	
158 726	*	**RE**	P	*SR*	HA	52726	57726	
158 727	*	**RE**	P	*SR*	HA	52727	57727	
158 728	*	**RE**	P	*SR*	HA	52728	57728	
158 729	*	**RE**	P	*SR*	HA	52729	57729	
158 730	*	**RE**	P	*SR*	HA	52730	57730	
158 731	*	**RE**	P	*SR*	HA	52731	57731	
158 732	*	**RE**	P	*SR*	HA	52732	57732	
158 733	*	**RE**	P	*SR*	HA	52733	57733	
158 734	*	**RE**	P	*SR*	HA	52734	57734	
158 735	*	**RE**	P	*SR*	HA	52735	57735	
158 736	*	**RE**	P	*SR*	HA	52736	57736	
158 737	*	**RE**	P	*SR*	HA	52737	57737	
158 738	*	**RE**	P	*SR*	HA	52738	57738	
158 739	*	**RE**	P	*SR*	HA	52739	57739	
158 740	*	**RE**	P	*SR*	HA	52740	57740	
158 741	*	**RE**	P	*SR*	HA	52741	57741	
158 742	*	**RE**	P	*SR*	HA	52742	57742	
158 743	*	**RE**	P	*SR*	HA	52743	57743	
158 744	*	**RE**	P	*SR*	HA	52744	57744	
158 745	*	**RE**	P	*SR*	HA	52745	57745	
158 746	*	**RE**	P	*SR*	HA	52746	57746	
158 747	*	**RE**	P	*VX*	NH	52747	57747	
158 748	*	**RE**	P	*VX*	NH	52748	57748	
158 749	*	**RE**	P	*VX*	NH	52749	57749	

158 750	*	RE	P	VX	NH	52750	57750
158 751	*	RE	P	VX	NH	52751	57751
158 752		RE	P	NW	NH	52752	57752
158 753		RE	P	NW	NH	52753	57753
158 754		RE	P	NW	NH	52754	57754
158 755		RE	P	NW	NH	52755	57755
158 756		RE	P	NW	NH	52756	57756
158 757	*	NW	P	NW	NH	52757	57757
158 758	*	NW	P	NW	NH	52758	57758
158 759	*	NW	P	NW	NH	52759	57759
158 760		RE	P	NS	NL	52760	57760
158 761		RE	P	NS	NL	52761	57761
158 762		RE	P	NS	NL	52762	57762
158 763		RE	P	NS	NL	52763	57763
158 764		RE	P	NS	NL	52764	57764
158 765	*	TX	P	NS	NL	52765	57765
158 766		RE	P	NS	NL	52766	57766
158 767		RE	P	NS	NL	52767	57767
158 768		TX	P	NS	NL	52768	57768
158 769		RE	P	NS	NL	52769	57769
158 770		RE	P	NS	NL	52770	57770
158 771		RE	P	NS	HT	52771	57771
158 772		RE	P	NS	NL	52772	57772
158 773		TX	P	NS	NL	52773	57773
158 774		RE	P	NS	HT	52774	57774
158 775		RE	P	NS	HT	52775	57775
158 776		RE	P	NS	HT	52776	57776
158 777		RE	P	NS	HT	52777	57777
158 778		RE	P	NS	HT	52778	57778
158 779		RE	P	NS	HT	52779	57779
158 780	r	RE	A	CT	TS	52780	57780
158 781		RE	P	NS	HT	52781	57781
158 782	r	RE	A	CT	TS	52782	57782
158 783	r	RE	A	CT	TS	52783	57783
158 784	r	RE	A	CT	TS	52784	57784
158 785	r	RE	A	CT	TS	52785	57785
158 786	r	RE	A	CT	TS	52786	57786
158 787	r	RE	A	CT	TS	52787	57787
158 788	r	RE	A	CT	TS	52788	57788
158 789	r	RE	A	CT	TS	52789	57789
158 790	r	RE	A	CT	TS	52790	57790
158 791	r	RE	A	CT	TS	52791	57791
158 792	r	RE	A	CT	TS	52792	57792
158 793	r	RE	A	CT	TS	52793	57793
158 794	r	RE	A	CT	TS	52794	57794
158 795	r	RE	A	CT	TS	52795	57795
158 796	r	RE	A	CT	TS	52796	57796
158 797	r	RE	A	CT	TS	52797	57797
158 798		TX	P	NS	HT	52798	58715	57798
158 799		TX	P	NS	HT	52799	58716	57799
158 800		RE	P	NS	HT	52800	58717	57800

158 801		**RE**	P	*NS*	HT	52801	58701	57801
158 802		**RE**	P	*NS*	HT	52802	58702	57802
158 803		**TX**	P	*NS*	HT	52803	58703	57803
158 804		**RE**	P	*NS*	HT	52804	58704	57804
158 805		**RE**	P	*NS*	HT	52805	58705	57805
158 806		**TX**	P	*NS*	HT	52806	58706	57806
158 807		**RE**	P	*NS*	HT	52807	58707	57807
158 808		**RE**	P	*NS*	HT	52808	58708	57808
158 809		**RE**	P	*NS*	HT	52809	58709	57809
158 810		**TX**	P	*NS*	HT	52810	58710	57810
158 811	§	**TX**	P	*NS*	HT	52811	58711	57811
158 812		**RE**	P	*NS*	HT	52812	58712	57812
158 813		**TX**	P	*NS*	HT	52813	58713	57813
158 814		**TX**	P	*NS*	HT	52814	58714	57814
158 815	†	**RE**	A	*WW*	CF	52815	57815	
158 816	†	**RE**	A	*WW*	CF	52816	57816	
158 817	†	**RE**	A	*WW*	CF	52817	57817	
158 818	†	**RE**	A	*WW*	CF	52818	57818	
158 819	†	**RE**	A	*WW*	CF	52819	57819	
158 820	†	**RE**	A	*WW*	CF	52820	57820	
158 821	†	**RE**	A	*WW*	CF	52821	57821	
158 822	†•	**RE**	A	*WW*	CF	52822	57822	
158 823	†	**RE**	A	*WW*	CF	52823	57823	
158 824	†	**RE**	A	*WW*	CF	52824	57824	
158 825	†	**RE**	A	*WW*	CF	52825	57825	
158 826	†	**RE**	A	*WW*	CF	52826	57826	
158 827	†	**RE**	A	*WW*	CF	52827	57827	
158 828	†	**RE**	A	*WW*	CF	52828	57828	
158 829	†	**RE**	A	*WW*	CF	52829	57829	
158 830	†	**RE**	A	*WW*	CF	52830	57830	
158 831	†	**RE**	A	*WW*	CF	52831	57831	
158 832	†	**RE**	A	*WW*	CF	52832	57832	
158 833	†	**RE**	A	*WW*	CF	52833	57833	
158 834	†	**RE**	A	*WW*	CF	52834	57834	
158 835	†	**RE**	A	*WW*	CF	52835	57835	
158 836	†	**RE**	A	*WW*	CF	52836	57836	
158 837	†	**RE**	A	*WW*	CF	52837	57837	
158 838	†•	**RE**	A	*WW*	CF	52838	57838	
158 839	†	**RE**	A	*WW*	CF	52839	57839	
158 840	†	**RE**	A	*WW*	CF	52840	57840	
158 841	†	**RE**	A	*WW*	CF	52841·	57841	
158 842	†	**RE**	A	*WW*	CF	52842	57842	
158 843	†	**RE**	A	*WW*	CF	52843	57843	
158 844	r†	**RE**	A	*CT*	TS	52844	57844	
158 845	r†	**RE**	A	*CT*	TS	52845	57845	
158 846	r†	**RE**	A	*CT*	TS	52846	57846	
158 847	r†	**RE**	A	*CT*	TS	52847	57847	
158 848	r†	**RE**	A	*CT*	TS	52848	57848	
158 849	r†	**RE**	A	*CT*	TS	52849	57849	
158 850	r†	**RE**	A	*CT*	TS	52850	57850	
158 851	r†	**RE**	A	*CT*	TS	52851	57851	

158 852	r†	**RE**	A	*CT*	TS	52852	57852
158 853	r†	**RE**	A	*CT*	TS	52853	57853
158 854	r†	**RE**	A	*CT*	TS	52854	57854
158 855	r†	**RE**	A	*CT*	TS	52855	57855
158 856	r†	**RE**	A	*CT*	TS	52856	57856
158 857	r†	**RE**	A	*CT*	TS	52857	57857
158 858	r†	**RE**	A	*CT*	TS	52858	57858
158 859	r†	**RE**	A	*CT*	TS	52859	57859
158 860	r†	**RE**	A	*CT*	TS	52860	57860
158 861	r†	**RE**	A	*CT*	TS	52861	57861
158 862	r†	**RE**	A	*CT*	TS	52862	57862
158 863	‡	**RE**	A	*WW*	CF	52863	57863
158 864	‡	**RE**	A	*WW*	CF	52864	57864
158 865	‡	**RE**	A	*WW*	CF	52865	57865
158 866	‡	**RE**	A	*WW*	CF	52866	57866
158 867	‡	**RE**	A	*WW*	CF	52867	57867
158 868	‡	**RE**	A	*WW*	CF	52868	57868
158 869	‡•	**RE**	A	*WW*	CF	52869	57869
158 870	‡	**RE**	A	*WW*	CF	52870	57870
158 871	‡	**RE**	A	*WW*	CF	52871	57871
158 872	‡	**RE**	A	*WW*	CF	52872	57872

CLASS 158/9 2-Car Express Unit

DMSL–DMS.
Details as Class 158/0 except:
Owner: These units are owned by West Yorkshire PTE, but are managed by Porterbrook Leasing Company.

DMSL. Dia. DP252. Lot No. 31051 BREL Derby 1991. –/70 1TD 1W. 38.1 t.
DMS. Dia. DP251. Lot No. 31052 BREL Derby 1991. –/72. 37.8 t.

158 901	**WY**	P	*NS*	NL	52901	57901
158 902	**WY**	P	*NS*	NL	52902	57902
158 903	**WY**	P	*NS*	NL	52903	57903
158 904	**WY**	P	*NS*	NL	52904	57904
158 905	**WY**	P	*NS*	NL	52905	57905
158 906	**WY**	P	*NS*	NL	52906	57906
158 907	**WY**	P	*NS*	NL	52907	57907
158 908	**WY**	P	*NS*	NL	52908	57908
158 909	**YN**	P	*NS*	NL	52909	57909
158 910	**WY**	P	*NS*	NL	52910	57910

CLASS 159 3-Car Express Unit

DMCL–MSL–DMSL. Built to Class 158 specification but converted before entering passenger service.
Engines: One Cummins NTA855R3 of 298 kW (400 hp) at 1900 rpm per car.
Bogies: BREL P4-4 (powered), BREL T4-4 (non-powered).
Dimensions: 23.21 x 2.82 x ?.?? m.

DMCL. Dia. DP322. Lot No. 31051 BREL Derby 1992–93. Converted by Rosyth Dockyard 1992–93. 24/28 1TD 1W. 38.1 t.
MSL. Dia. DR209. Lot No. 31050 BREL Derby 1992–93. Converted by Rosyth Dockyard 1992–93. 37.1 t. –/72 2T.
DMSL. Dia. DP260. Lot No. 31052 BREL Derby 1992–93. Converted by Rosyth Dockyard 1992–93. –/72 1T. 37.8 t.

159 001	**NS**	P	*SW*	SA	52873	58718	57873	CITY OF EXETER
159 002	**NW**	P	*SW*	SA	52874	58719	57874	CITY OF SALISBURY
159 003	**NW**	P	*SW*	SA	52875	58720	57875	TEMPLECOMBE
159 004	**NW**	P	*SW*	SA	52876	58721	57876	BASINGSTOKE AND DEANE
159 005	**NW**	P	*SW*	SA	52877	58722	57877	
159 006	**NW**	P	*SW*	SA	52878	58723	57878	
159 007	**NW**	P	*SW*	SA	52879	58724	57879	
159 008	**NW**	P	*SW*	SA	52880	58725	57880	
159 009	**NW**	P	*SW*	SA	52881	58726	57881	
159 010	**NW**	P	*SW*	SA	52882	58727	57882	
159 011	**NW**	P	*SW*	SA	52883	58728	57883	
159 012	**NW**	P	*SW*	SA	52884	58729	57884	
159 013	**NW**	P	*SW*	SA	52885	58730	57885	
159 014	**NW**	P	*SW*	SA	52886	58731	57886	
159 015	**NW**	P	*SW*	SA	52887	58732	57887	
159 016	**NW**	P	*SW*	SA	52888	58733	57888	
159 017	**NW**	P	*SW*	SA	52889	58734	57889	
159 018	**NW**	P	*SW*	SA	52890	58735	57890	
159 019	**NW**	P	*SW*	SA	52891	58736	57891	
159 020	**NW**	P	*SW*	SA	52892	58737	57892	
159 021	**NW**	P	*SW*	SA	52893	58738	57893	
159 022	**NW**	P	*SW*	SA	52894	58739	57894	

CLASS 165/0   2- or 3-Car Network Turbo

DMCL–DMS or DMCL–MS–DMS.
Engines: One Perkins 2006-TWH of 261 kW (350 hp) at 2100 rpm per car.
Bogies: BREL P3-17 (powered), BREL T3-17 (non-powered).
Dimensions: 22.91 (driving cars) or 22.72 (non-driving cars) x 2.81 x ?.?? m.
Maximum Speed: 75 mph

58801–58822, 58873–58878. DMCL. Dia. DP319. Lot No. 31087 BREL York 1991. 16/72 1T. 37.0 t.
58823–58833. DMCL. Dia. DP320. Lot No. 31089 BREL York 1991–92. 24/60 1T. 37.0 t.
MS. Dia. DR208. Lot No. 31090 BREL York 1991–92. 106S. 37.0 t.
DMS. Dia. DP253. Lot No. 31088 BREL York 1991–92. 98S. 37.0 t.

165 001	**NW**	A	*TT*	RG	58801	58834
165 002	**NW**	A	*TT*	RG	58802	58835
165 003	**NW**	A	*TT*	RG	58803	58836
165 004	**NW**	A	*TT*	RG	58804	58837

165 005		**NW**	A	*TT*	RG	58805	58838	
165 006	t	**NW**	A	*CR*	AL	58806	58839	
165 007	t	**NW**	A	*CR*	AL	58807	58840	
165 008	t	**NW**	A	*CR*	AL	58808	58841	
165 009	t	**NW**	A	*CR*	AL	58809	58842	
165 010	t	**NW**	A	*CR*	AL	58810	58843	
165 011	t	**NW**	A	*CR*	AL	58811	58844	
165 012	t	**NW**	A	*CR*	AL	58812	58845	
165 013	t	**NW**	A	*CR*	AL	58813	58846	
165 014	t	**NW**	A	*CR*	AL	58814	58847	
165 015	t	**NW**	A	*CR*	AL	58815	58848	
165 016	t	**NW**	A	*CR*	AL	58816	58849	
165 017	t	**NW**	A	*CR*	AL	58817	58850	
165 018	t	**NW**	A	*CR*	AL	58818	58851	
165 019	t	**NW**	A	*CR*	AL	58819	58852	
165 020	t	**NW**	A	*CR*	AL	58820	58853	
165 021	t	**NW**	A	*CR*	AL	58821	58854	
165 022	t	**NW**	A	*CR*	AL	58822	58855	
165 023	t	**NW**	A	*CR*	AL	58873	58867	
165 024	t	**NW**	A	*CR*	AL	58874	58868	
165 025	t	**NW**	A	*CR*	AL	58875	58869	
165 026	t	**NW**	A	*CR*	AL	58876	58870	
165 027	t	**NW**	A	*CR*	AL	58877	58871	
165 028	t	**NW**	A	*CR*	AL	58878	58872	
165 029	t	**NW**	A	*CR*	AL	58823	55404	58856
165 030	t	**NW**	A	*CR*	AL	58824	55405	58857
165 031	t	**NW**	A	*CR*	AL	58825	55406	58858
165 032	t	**NW**	A	*CR*	AL	58826	55407	58859
165 033	t	**NW**	A	*CR*	AL	58827	55408	58860
165 034	t	**NW**	A	*CR*	AL	58828	55409	58861
165 035	t	**NW**	A	*CR*	AL	58829	55410	58862
165 036	t	**NW**	A	*CR*	AL	58830	55411	58863
165 037	t	**NW**	A	*CR*	AL	58831	55412	58864
165 038	t	**NW**	A	*CR*	AL	58832	55413	58865
165 039	t	**NW**	A	*CR*	AL	58833	55414	58866

CLASS 165/1   2- or 3-Car Network Turbo

DMCL–DMS or DMCL–MS–DMS.
Engines: One Perkins 2006-TWH of 261 kW (350 hp) at.2100 rpm per car.
Bogies: BREL P3-17 (powered), BREL T3-17 (non-powered).
Dimensions: 22.91 (driving cars) or 22.72 (non-driving cars) x 2.81 x ?.?? m.
Maximum Speed: 90 mph.

58953–58969. DMCL. Dia. DP320. Lot No. 31098 BREL York 1992. 24/58 1T. 37.0 t.
58879–58898. DMCL. Dia. DP319. Lot No. 31096 BREL/ABB York 1992–3. 16/72 1T. 37.0 t.
MS. Dia. DR208. Lot No. 31099 BREL/ABB York 1992–3. –/106. 37.0 t.
DMS. Dia. DP253. Lot No. 31097 BREL/ABB York 1992–3. –/98. 37.0 t.

165 101	**NW**	A	*TT*	RG	58953	55415	58916
165 102	**NW**	A	*TT*	RG	58954	55416	58917
165 103	**NW**	A	*TT*	RG	58955	55417	58918
165 104	**NW**	A	*TT*	RG	58956	55418	58919
165 105	**NW**	A	*TT*	RG	58957	55419	58920
165 106	**NW**	A	*TT*	RG	58958	55420	58921
165 107	**NW**	A	*TT*	RG	58959	55421	58922
165 108	**NW**	A	*TT*	RG	58960	55422	58923
165 109	**NW**	A	*TT*	RG	58961	55423	58924
165 110	**NW**	A	*TT*	RG	58962	55424	58925
165 111	**NW**	A	*TT*	RG	58963	55425	58926
165 112	**NW**	A	*TT*	RG	58964	55426	58927
165 113	**NW**	A	*TT*	RG	58965	55427	58928
165 114	**NW**	A	*TT*	RG	58966	55428	58929
165 115	**NW**	A	*TT*	RG	58967	55429	58930
165 116	**NW**	A	*TT*	RG	58968	55430	58931
165 117	**NW**	A	*TT*	RG	58969	55431	58932
165 118	**NW**	A	*TT*	RG	58879	58933	
165 119	**NW**	A	*TT*	RG	58880	58934	
165 120	**NW**	A	*TT*	RG	58881	58935	
165 121	**NW**	A	*TT*	RG	58882	58936	
165 122	**NW**	A	*TT*	RG	58883	58937	
165 123	**NW**	A	*TT*	RG	58884	58938	
165 124	**NW**	A	*TT*	RG	58885	58939	
165 125	**NW**	A	*TT*	RG	58886	58940	
165 126	**NW**	A	*TT*	RG	58887	58941	
165 127	**NW**	A	*TT*	RG	58888	58942	
165 128	**NW**	A	*TT*	RG	58889	58943	
165 129	**NW**	A	*TT*	RG	58890	58944	
165 130	**NW**	A	*TT*	RG	58891	58945	
165 131	**NW**	A	*TT*	RG	58892	58946	
165 132	**NW**	A	*TT*	RG	58893	58947	
165 133	**NW**	A	*TT*	RG	58894	58948	
165 134	**NW**	A	*TT*	RG	58895	58949	
165 135	**NW**	A	*TT*	RG	58896	58950	
165 136	**NW**	A	*TT*	RG	58897	58951	
165 137	**NW**	A	*TT*	RG	58898	58952	

CLASS 166   3-Car Network Express Turbo

DMCL(A)–MS–DMCL(B).
Engines: One Perkins 2006-TWH of 261 kW (350 hp) at 2100 rpm per car.
Bogies: BREL P3-17 (powered), BREL T3-17 (non-powered).
Gangways: Within unit only.
Doors: Sliding plug.
Dimensions: 22.91 (driving cars) or 22.72 (non-driving cars) x 2.81 x ?.?? m.

DMCL(A). Dia. DP321. Lot No. 31116 ABB York 1993. 16/68 1T. 40.6 t.
MS. Dia. DR210. Lot No. 31117 ABB York 1993. –/88. 38.4 t.
DMCL(B). Dia. DP321. Lot No. 31116 ABB York 1993. 16/68 1T. 40.6 t.

166 201	**NW**	A	*TT*	RG	58101	58601	58122
166 202	**NW**	A	*TT*	RG	58102	58602	58123
166 203	**NW**	A	*TT*	RG	58103	58603	58124
166 204	**NW**	A	*TT*	RG	58104	58604	58125
166 205	**NW**	A	*TT*	RG	58105	58605	58126
166 206	**NW**	A	*TT*	RG	58106	58606	58127
166 207	**NW**	A	*TT*	RG	58107	58607	58128
166 208	**NW**	A	*TT*	RG	58108	58608	58129
166 209	**NW**	A	*TT*	RG	58109	58609	58130
166 210	**NW**	A	*TT*	RG	58110	58610	58131
166 211	**NW**	A	*TT*	RG	58111	58611	58132
166 212	**NW**	A	*TT*	RG	58112	58612	58133
166 213	**NW**	A	*TT*	RG	58113	58613	58134
166 214	**NW**	A	*TT*	RG	58114	58614	58135
166 215	**NW**	A	*TT*	RG	58115	58615	58136
166 216	**NW**	A	*TT*	RG	58116	58616	58137
166 217	**NW**	A	*TT*	RG	58117	58617	58138
166 218	**NW**	A	*TT*	RG	58118	58618	58139
166 219	**NW**	A	*TT*	RG	58119	58619	58140
166 220	**NW**	A	*TT*	RG	58120	58620	58141
166 221	**NW**	A	*TT*	RG	58121	58621	58142

CLASS 168   4-Car Chiltern Clubman

DMSL(A)–MSL–MS–DMSL(B).
Engines: One MTU 6R183TD13H of 315 kW (422 hp) at 1900 rpm per car.
Bogies: BREL P3-23 (powered), BREL T3-23 (non-powered).
Transmission: Hydraulic. Voith T211rzze to ZF final drive.
Dimensions: 22.93 x 2.69 x ?.?? m (DMSL), 22.80 x 2.69 x ??.?? m (MS).

DMSL(A). Dia. DP270. Adtranz Derby 1997–8. –/60 1TD 1W. 43.7 t.
MSL. Dia. DR211. Adtranz Derby 1998. –/73 1T. 41.0 t.
MS. Dia. DR211. Adtranz Derby 1998. –/77. 40.5 t.
DMSL(B). Dia. DP270. Adtranz Derby 1998. –/66 1T. 43.6 t.

168 001	t	**CR**	P	*CR*	AL	58151	58651	58451	58251
168 002	t	**CR**	P	*CR*	AL	58152	58652	58452	58252
168 003	t	**CR**	P	*CR*	AL	58153	58653	58453	58253
168 004	t	**CR**	P	*CR*	AL	58154	58654	58454	58254
168 005	t	**CR**	P	*CR*	AL	58155	58655	58455	58255

CLASS 170   2- or 3-Car Turbostar

Various formations (see below).
Engines: One MTU 6R183TD13H of 315 kW (422 hp) at 1900 rpm per car.
Bogies: BREL P3-23 (powered), BREL T3-23 (non-powered).
Transmission: Hydraulic. Voith T211rzze to ZF final drive.
Dimensions: 23.41 x 2.69 x   m. (Driving Cars), 22.8 x 2.69 m. (Other cars).
Maximum Speed: 100 mph.

Class 170/1. Vehicles for Midland Main Line. DMCL(A)–DMCL(B).
DMCL(A). Dia. DP324. Adtranz Derby 1998–99. 12/45 1TD 2W. 45.2 t.
DMCL(B). Dia. DP325. Adtranz Derby 1998–99. 12/52 1T.

170 101	**MM**	P	*MM*	DY	50101	79101
170 102	**MM**	P	*MM*	DY	50102	79102
170 103	**MM**	P	*MM*		50103	79103
170 104	**MM**	P·	*MM*		50104	79104
170 105	**MM**	P	*MM*		50105	79105
170 106	**MM**	P	*MM*		50106	79106
170 107	**MM**	P	*MM*		50107	79107
170 108	**MM**	P	*MM*		50108	79108
170 109	**MM**	P	*MM*		50109	79109
170 110	**MM**	P	*MM*		50110	79110
170 111	**MM**	P	*MM*		50111	79111
170 112	**MM**	P	*MM*		50112	79112
170 113	**MM**	P	*MM*		50113	79113
170 114	**MM**	P	*MM*		50114	79114
170 115	**MM**	P	*MM*		50115	79115
170 116	**MM**	P	*MM*		50116	79116
170 117	**MM**	P	*MM*		50117	79117

Class 170/2. Vehicles on order for Anglia Railways. DMCL–MS–DMSL.
DMCL. Dia. DP326. Adtranz Derby 1999. 30/5 1TD 1W.
MSL. Dia. DR212. Adtranz Derby 1999. –/58 1T.
DMSL. Dia. DP274. Adtranz Derby 1999. –/66 1T.

170 201	**AR**	P	*AR*	50201	56201	79201
170 202	**AR**	P	*AR*	50202	56202	79202
170 203	**AR**	P	*AR*	50203	56203	79203
170 204	**AR**	P	*AR*	50204	56204	79204
170 205	**AR**	P	*AR*	50205	56205	79205
170 206	**AR**	P	*AR*	50206	56206	79206
170 207	**AR**	P	*AR*	50207	56207	79207
170 208	**AR**	P	*AR*	50208	56208	79208

Class 170/4. Vehicles on order for ScotRail. DMCL–MS–DMCL.
DMCL. Dia. DP329. Adtranz Derby 1999. 9/37 1TD 1W.
MSL. Dia. DR213. Adtranz Derby 1999. –/80 1T.
DMCL. Dia. DP330. Adtranz Derby 1999. 9/54 1T.

170 401	**SR**	P	*SR*	50401	56401	79401
170 402	**SR**	P	*SR*	50402	56402	79402
170 403	**SR**	P	*SR*	50403	56403	79403
170 404	**SR**	P	*SR*	50404	56404	79404
170 405	**SR**	P	*SR*	50405	56405	79405
170 406	**SR**	P	*SR*	50406	56406	79406
170 407	**SR**	P	*SR*	50407	56407	79407
170 408	**SR**	P	*SR*	50408	56408	79408
170 409	**SR**	P	*SR*	50409	56409	79409
170 410	**SR**	P	*SR*	50410	56410	79410
170 411	**SR**	P	*SR*	50411	56411	79411
170 412	**SR**	P	*SR*	50412	56412	79412

170 413	**SR**	P	*SR*	50413	56413	79413
170 414	**SR**	P	*SR*	50414	56414	79414
170 415	**SR**	P	*SR*	50415	56415	79415

Class 170/5. Vehicles on order for Central Trains. DMSL(A)–DMSL(B).
DMSL(A). Dia. DP275. Adtranz Derby 1999. –/56 1TD 1W.
DMSL(B). Dia. DP273. Adtranz Derby 1999. –/66 1T.

170 501	**CT**	P	*CT*	50501	79501
170 502	**CT**	P	*CT*	50502	79502
170 503	**CT**	P	*CT*	50503	79503
170 504	**CT**	P	*CT*	50504	79504
170 505	**CT**	P	*CT*	50505	79505
170 506	**CT**	P	*CT*	50506	79506
170 507	**CT**	P	*CT*	50507	79507
170 508	**CT**	P	*CT*	50508	79508
170 509	**CT**	P	*CT*	50509	79509
170 510	**CT**	P	*CT*	50510	79510
170 511	**CT**	P	*CT*	50511	79511
170 512	**CT**	P	*CT*	50512	79512
170 513	**CT**	P	*CT*	50513	79513
170 514	**CT**	P	*CT*	50514	79514
170 515	**CT**	P	*CT*	50515	79515
170 516	**CT**	P	*CT*	50516	79516
170 517	**CT**	P	*CT*	50517	79517
170 518	**CT**	P	*CT*	50518	79518
170 519	**CT**	P	*CT*	50519	79519
170 520	**CT**	P	*CT*	50520	79520
170 521	**CT**	P	*CT*	50521	79521
170 522	**CT**	P	*CT*	50522	79522
170 523	**CT**	P	*CT*	50523	79523

Class 170/6. Vehicles on order for Central Trains. DMCL–MS–DMSL.
DMSL(A). Dia. DP275. Adtranz Derby 1999. –/56 1TD 1W.
MSL. Dia. DR214. Adtranz Derby 1999.
DMSL(B). Dia. DP273. Adtranz Derby 1999. –/66 1T.

170 630	**CT**	P	*CT*	50630	56630	79630
170 631	**CT**	P	*CT*	50631	56631	79631
170 632	**CT**	P	*CT*	50632	56632	79632
170 633	**CT**	P	*CT*	50633	56633	79633
170 634	**CT**	P	*CT*	50634	56634	79634
170 635	**CT**	P	*CT*	50635	56635	79635
170 636	**CT**	P	*CT*	50636	56636	79636
170 637	**CT**	P	*CT*	50637	56637	79637
170 638	**CT**	P	*CT*	50638	56638	79638
170 639	**CT**	P	*CT*	50639	56639	79639

CLASS 180/1 5-Car Unit

Further details awaited. Vehicles on order for First Great Western.
Engines: Cummins.
Bogies:
Transmission: Hydraulic. Voith.
Dimensions:
Maximum Speed: 125 mph.

180 101	**GW**	FB	*GW*
180 102	**GW**	FB	*GW*
180 103	**GW**	FB	*GW*
180 104	**GW**	FB	*GW*
180 105	**GW**	FB	*GW*
180 106	**GW**	FB	*GW*
180 107	**GW**	FB	*GW*
180 108	**GW**	FB	*GW*

1.3. DIESEL ELECTRIC MULTIPLE UNITS

The following features are standard to all diesel-electric multiple unit power cars (except Class 210):

Engine: One English Electric 4SRKT Mk. 2 of 450 kW (600 hp) at 850 rpm.
Main Generator: English Electric EE824.
Traction Motors: Two English Electric EE507 mounted on the inner bogie.

The following features are standard to all diesel-electric multiple unit cars (except Class 210) unless otherwise stated:

Couplings: Drophead buckeye.
Doors: Manually operated slam.
Brakes: Electro-pneumatic and automatic air.
Bogies: SR Mk. 4. (Former EMU TSOL vehicles have Commonwealth bogies).
Maximum Speed: 75 mph.
Multiple Working: Other DEMU vehicles.

CLASS 201/202 (5H)   5-Car 'Hastings' Unit

DMBSO–3TSOL–DMBSO.
Gangways: Within unit only.
Dimensions: 18.36 x 2.50 x 3.83 m (60000/60501), 20.34 x 2.50 x 3.83 m. (60118/60529) 20.34 x 2.82 x 3.83 m (70262).

60000. DMBSO. Dia. DB203. Lot No. 30329 Eastleigh 1957. –/22. 54.0 t.
60118. DMBSO. Dia. DB203. Lot No. 30395 Eastleigh 1957. –/30. 55.0 t.
60501. TSOL. Dia. DB204. Lot No. 30331 Eastleigh 1957. –/52 2T. 29.0 t.
60529. TSOL. Dia. DH203. Lot No. 30397 Eastleigh 1957. –/60 2T. 30.0 t.
70262. TSOL. Dia. DH208. Previously a Class 411/5 vehicle. Lot No. 30455 Eastleigh 1959. –/64 2T. 33.8 t.

| 1001 | G | HD | AR | NC | 60000 | 60501 | 70262 | 60529 | 60118 |

Names:

| 60000 | Hastings | | 60118 | Tunbridge Wells |

CLASS 205/0 (3H)   3-Car Unit

DMBSO–TSO–DTCsoL.
Gangways: Non-gangwayed.
Dimensions: 20.33 (DMBSO), 20.28 (TSO), 20.36 (DTCsoL) x 2.82 x 3.86 (DMBSO), 3.77 (TSO), 3.82 (DTCsoL) m.

60108–60117/154. DMBSO. Dia. DB203. Lot No. 30332 Eastleigh 1957. –/52. 56.0 t.
60122–60124. DMBSO. Dia. DB203. Lot No. 30540 Eastleigh 1958–59. –/52. 56.0 t.
60146–60151. DMBSO. Dia. DB204. Lot No. 30671 Eastleigh 1960–62. –/42. 56.0 t.
60650–60670. TSO. Dia. DH203. Lot No. 30542 Eastleigh 1958–59. –/104. 30.0 t.
60673–60678. TSO. Dia. DH203. Lot No. 30672 Eastleigh 1960–62. –/104. 30.0 t.
60800 DTCsoL. Dia. DE301. Lot No. 30333 Eastleigh 1956–57. 13/50 2T. 32.0 t.

60808–60811. DTCsoL. Dia. DE302. Lot No. 30333 Eastleigh 1956–57. 19/50 2T. 32.0 t.
60822. DTCsoL. Dia. DE302. Lot No. 30541 Eastleigh 1958–59. 19/50 2T. 32.0 t.
60823–60824. DTCsoL. Dia. DE301. Lot No. 30541 Eastleigh 1958–59. 13/50 2T. 32.0 t.
60827–60832. DTCsoL. Dia. DE303. Lot No. 30673 Eastleigh 1960–62. 13/62 2T. 32.0 t.

205 001	*	**N**	P	*SC*	SU	60154	60650	60800
205 009		**CX**	P	*SC*	SU	60108	60658	60808
205 012		**N**	P	*SC*	SU	60111	60661	60811
205 018		**N**	P	*SC*	SU	60117	60674	60828
205 024	*	**N**	P	*SC*	SU	60123	60669	60823
205 025	*	**N**	P	*SC*	SU	60124	60670	60824
205 028		**CX**	P	*SC*	SU	60146	60673	60827
205 032		**N**	P	*SC*	SU	60150	60677	60831
205 033	*	**CX**	P	*SC*	SU	60151	60678	60832
Spare		**N**	P		SE(S)	60122	60668	
Spare		**N**	P		ZG(S)			60822

CLASS 205/2 (3H(M))   2- or 3-Car Unit

DMBSO–DTSOL or DMBSO–TSOL–DTSOL. Refurbished 1980. Operates as a 3-car unit in summer, 2-car unit in winter.
Gangways: Within unit only.
Dimensions: 20.33 (DMBSO), 20.34 (TSOL), 20.36 m x 2.82 3.86 (DMBSO), 3.83 (TSOL), 3.82 (DTSOL) m.

DMBSO. Dia. DB203. Lot No. 30332 Eastleigh 1957. –/39. 57.0 t.
TSOL. Dia. DH207. Previously a Class 411/5 vehicle, but originally built as a loco-hauled TSO. Lot No. 30149 Swindon 1956. –/64 2T. 33.8 t.
DTSOL. Dia. DE204. Lot No. 30333 Eastleigh 1957. –/76 2T. 32.0 t.

205 205	**CX**	P	*SC*	SU	60110	60810
Spare	**N**	P	*SC*	ZG(S)	71634	

CLASS 207/0 (2D)   2-Car Unit

DMBSO–DTSO. Formerly 3-car unit DMBSO–TCsoL–DTSO.
Gangways: Non-gangwayed.
Dimensions: 20.33 x 2.74 x 3.82 m. (DMBSO), 20.32 x 2.74 x 3.73 m. (DTSO), 20.33 x 2.74 x 3.73 m.(TCsoL).

DMBSO. Dia. DB205. Lot No. 30625 Eastleigh 1962: –/42. 56.0 t.
TCsoL. Dia. DH301. Lot No. 30626 Eastleigh 1962. 24/42 1T. 31.0 t.
DTSO. Dia. DE201. Lot No. 30627 Eastleigh 1962. –/76. 32.0 t.

207 017	**N**	P	*SC*	SU	60142	60916
Spare	**N**	P		SE(S)	60138	60616

CLASS 207/2 (3D)   2- or 3-Car Unit

DMBSO–DTSO or DMBSO–TSOL–DTSO. Operate as 3-car units in summer,
2-pcar units in winter.
Gangways: Within unit.
Dimensions: 20.33 x 2.74 x 3.82 m. (DMBSO), 20.34 x 2.82 x 3.83 m. (TSOL),
20.32 x 2.74 x 3.73 m. (DTSO).

DMBSO. Dia. DB205. Lot No. 30625 Eastleigh 1962. –/40. 56.0 t.
70286. TSOL. Dia. DH206. Previously a Class 411/5 vehicle. Lot No. 30455 Eastleigh
1958. –/64 2T. 33.8 t.
70547/9. TSOL. Dia. DH206. Previously a Class 411/5 vehicle.Lot No. 30620
Eastleigh 1961 –/64 2T. 33.8 t.
DTSO. Dia. DE201. Lot No. 30627 Eastleigh 1962. –/75. 32.0 t.

207 201	**N**	P	*SC*	SU	60129		60901
207 202	**N**	P	*SC*	SU	60130		60904
207 203	**N**	P	*SC*	SU(S)	60127		60903
Spare	**N**	P	*SC*	SU(S)		70286	
Spare	**N**	P	*SC*	SU(S)		70547	
Spare	**N**	P	*SC*	SU(S)		70549	

Names (Carried on DMBSO):

207 201	Ashford Fayre	207 202	Brighton Royal Pavillion

1.4 SERVICE DMUS

This section lists service vehicles, i.e. vehicles not used for revenue earning purposes which are numbered in the special service stock number series or in the internal user series (An internal user vehicle is a vehicle specifically for use in one location/area which is not otherwise permitted over the Railtrack network without special authority).

CLASS 101   Internal User Office Vehicle

Converted 1990 from Class 101 DTCL. Gangwayed.
Maximum Speed: 70 mph.
Bogies: DT11.   **Couplings:** Screw.
Brakes: Twin pipe vacuum.   **Multiple Working:** Blue Square.
Doors: Manually operated slam.   **Dimensions:** 18.49 x 2.82 x 3.85 m.
Note: Allocated Internal User number 042222, but this is not carried.

DTCL. Dia. DS302. Lot No. 30468 Met-Camm. 1958. 22.5 t.

Spare	**BG**	NS	NL(S)	54342

CLASS 114/1   Route Learning Unit

DMB–DT. Converted 1992 from Class 114/1. Gangwayed within unit.
Engines: Two Leyland TL11/40 of 153 kW (205 hp) at 1950 rpm per car.
Transmission: Mechanical. Cardan shaft and freewheel to a four-speed epicyclic gearbox with a further cardan shaft to the final drive, each engine driving the inner axle of one bogie.
Maximum Speed: 70 mph.
Bogies: DD9 + DT9.   **Couplings:** Screw.
Brakes: Twin pipe vacuum.   **Multiple Working:** Blue Square.
Doors: Manually operated slam/roller shutter. **Dimensions:** 20.45 x 2.82 x 3.87 m.
Non-Standard Livery: Grey, red and yellow.

DMB. Dia. DZ518. Lot No. 30209 Derby 1957. 39.0 t.
DT. Dia. DZ516. Lot No. 30210 Derby 1957. 29.2 t.

–	**0**	E	MG(S)	977775	977776

CLASS 210   2-Car Track Inspection Unit

DM–DMB*. Prototype second generation DEMU currently undergoing conversion.
Engines: One MTU 12V396TC12 of 914 kW (1225 hp) at 1500 rpm (* One Paxman Valenta 6RP200 of 842 kW (1129 hp) at 1500 rpm.
Main Alternator: GEC G563AZ (* Brush BA1002A).
Transmission: Electric. Four GEC (* Brush) traction motors.
Maximum Speed: 90 mph.   **Bogies:** BP20.
Brakes: Electro-pneumatic.   **Doors:** Power operated sliding.
Couplers: Tightlock (outer), bar (inner) end.
Multiple Working: Within class only.   **Dimensions:** 20.52 x 2.82 x 3.77 m.

DM. Dia. DZ???. Lot No. 30931 BREL Derby 1982.
DMBS. Dia. DZ???. Lot No. 30930 BREL Derby 1982.

210 001	**N**	AY	ZG(S)	60200	60201

CLASS 930   Sandite/De-icing Unit

DMB–T–DMB. Converted 1993 from Class 205. Gangwayed within unit. Sandite
trailer 977870 is replaced by de-icing trailer 977364 as required.
Engine: One English Electric 4SRKT Mk. 2 of 450 kW (600 hp) at 850 rpm per
power car.
Transmission: Electric. Two English Electric EE507 traction motors mounted
on the inner bogie of each power car.
Maximum Speed: 75 mph.   **Bogies:** SR Mk. 4.
Brakes: Electro-pneumatic and automatic air.
Doors: Manually operated slam.   **Couplings:** Drophead buckeye.
Multiple Working: DEMU vehicles (except Class 210).
Dimensions: 20.33 x 2.82 x 3.87 m. (DMB); 20.28 x 2.82 x 3.87 m. (T).

DMB. Dia. DZ537. Lot No. 30671 Eastleigh 1962. 56.0 t.
T. Dia. DZ533. Lot No. 30542 Eastleigh 1960. 30.5 t.

930 301	**RK**	RT	*RT*	SU	977939	977870	977940

CLASS 960   Ultrasonic Test Train/Tractor Unit

DM–DM. Converted 1986 from Class 101. Gangwayed within unit. Often works
with 975091, 999550 or 999602.
Engines: Two Leyland 680/1 of 112 kW (150 hp) at 1800 rpm per car.
Transmission: Mechanical. Cardan shaft and freewheel to a four-speed
epicyclic gearbox with a further cardan shaft to the final drive, each engine
driving the inner axle of one bogie.   **Dimensions:** 18.49 x 2.82 x 3.85 m.
Maximum Speed: 70 mph.   **Doors:** Manually operated slam.
Bogies: DD15.   **Couplings:** Screw.
Brakes: Twin pipe vacuum.   **Multiple Working:** Blue Square.

977391. DM. Dia. DZ503. Lot No. 30500 Met-Camm. 1959. 32.5 t.
977392. DM. Dia. DZ503. Lot No. 30254 Met-Camm. 1956. 32.5 t.

–		**SO**	SO	*SO*	RG	977391	977392

CLASS 960   Test Unit

DM–DM. Converted 1991 from Class 101. Gangwayed within unit.
Engines: Two Leyland 680/1 of 112 kW (150 hp) at 1800 rpm per car.
Transmission: Mechanical. Cardan shaft and freewheel to a four-speed
epicyclic gearbox with a further cardan shaft to the final drive, each engine
driving the inner axle of one bogie.
Maximum Speed: 70 mph.
Bogies: DD15.   **Couplings:** Screw.
Brakes: Twin pipe vacuum.   **Multiple Working:** Blue Square.
Doors: Manually operated slam.   **Dimensions:** 18.49 x 2.82 x 3.85 m.

977693. DM. Dia. DZ503. Lot No. 30261 Met-Camm. 1957. 32.5 t.
977694. DM. Dia. DZ503. Lot No. 30276 Met-Camm. 1958. 32.5 t.

–	**SO**	SO	*SO*	BY	977693	977694	Iris 2

CLASS 960   Sandite Unit

DMB. Converted 1991/93 from Class 121. Non gangwayed.
Engines: Two Leyland 1595 of 112 kW (150 hp) at 1800 rpm.
Transmission: Mechanical. Cardan shaft and freewheel to a four-speed epicyclic gearbox with a further cardan shaft to the final drive, each engine driving the inner axle of one bogie.
Maximum Speed: 70 mph.
Bogies: DD10.   **Couplings:** Screw.
Brakes: Twin pipe vacuum.   **Multiple Working:** Blue Square.
Doors: Manually operated slam. **Dimensions:** 20.45 x 2.82 x 3.87 m.

977722-23. DMB. Dia. DZ515. Lot No. 30518 Pressed Steel 1960. 38.0 t.
977858–60/66/73. DMB. Dia. DZ526. Lot No. 30518 Pressed Steel 1960. 38.0 t.

960 002	**N**	RT	*RT*	RG	977722
121 121	**RK**	RT	*RT*	BY	977723
–	**M**	RT	*RT*	AL	977858
960 011	**N**	RT	*RT*	LO	977859
960 012	**N**	RT	*RT*	RG	977868
960 013	**RK**	RT	*RT*	NC	977866
960 014	**N**	RT	*RT*	RG	977873

CLASS 960   Sandite Unit

DMB. Converted 1991 from Class 122 vehicle. Non gangwayed.
Engines: Two Leyland 1595 of 112 kW (150 hp) at 1800 rpm.
Transmission: Mechanical. Cardan shaft and freewheel to a four-speed epicyclic gearbox with a further cardan shaft to the final drive, each engine driving the inner axle of one bogie.
Maximum Speed: 70 mph.
Bogies: DD10.   **Couplings:** Screw.
Brakes: Twin pipe vacuum.   **Multiple Working:** Blue Square.
Doors: Manually operated slam. **Dimensions:** 20.45 x 2.82 x 3.87 m.

DM. Dia. DZ516. Lot No. 30419 Gloucester 1958. 36.5 t.

960 015	**RK**	RT	*RT*	BY	975042

CLASS 960/9   Sandite & Route Learning Unit

DM–DM. Converted 1993 from Class 101 vehicles. Gangwayed within unit.
Engines: Two Leyland 680/1 of 112 kW (150 hp) at 1800 rpm per car.
Transmission: Mechanical. Cardan shaft and freewheel to a four-speed epicyclic gearbox with a further cardan shaft to the final drive, each engine driving the inner axle of one bogie.

Maximum Speed: 70 mph.
Bogies: DD15.
Brakes: Twin pipe vacuum.
Doors: Manually operated slam.

Couplings: Screw.
Multiple Working: Blue Square.
Dimensions: 18.49 x 2.82 x 3.85 m.

977895. DM. Dia. DZ503. Lot No. 30275 Met-Camm. 1958. 32.5 t.
977896/900. DM. Dia. DZ504. Lot No. 30276 Met-Camm. 1958. 32.5 t.
977897/901/903. DM. Dia. DZ503. Lot No. 30259 Met-Camm. 1957. 32.5 t.
977898. DM. Dia. DZ515. Lot No. 30256 Met-Camm. 1957. 32.5 t.
977899. DM. Dia. DZ503. Lot No. 30500 Met-Camm. 1959. 32.5 t.
977902. DM. Dia. DZ503. Lot No. 30261 Met-Camm. 1957. 32.5 t.
977904. DM. Dia. DZ503. Lot No. 30270 Met-Camm. 1957. 32.5 t.

960 991	N	RT	*RT*	LO	977895	977896
960 992	BG	RT	*RT*	LO	977897	977898
960 993	BG	RT	*RT*	LO	977899	977900
960 994	BG	RT	*RT*	LO	977901	977902
960 995	BG	RT	*RT*	LO	977903	977904

UNCLASSIFIED   Test Unit

DMB. Converted 1968 from Unclassified DMBS. Non gangwayed.
Engines: Two Leyland 680/1 of 112 kW (150 hp) at 1800 rpm.
Transmission: Mechanical. Cardan shaft and freewheel to a four-speed epicyclic gearbox with a further cardan shaft to the final drive, each engine driving the inner axle of one bogie.
Maximum Speed: 70 mph.
Bogies:
Brakes: Twin pipe vacuum.
Doors: Manually operated slam.

Couplings: Screw.
Dimensions: 18.49 x 2.79 x 3.87 m.

Multiple Working: Obsolete Yellow Diamond system/Blue Square.
Note: Also carries former number 79900.

DMB. Dia. DZ530. Lot No. 30380 Derby 1956. 27.2 t.

| – | G | SO | *SO* | BY | 975010 | Iris |

UNCLASSIFIED   Overhead Line Test Car

T. Converted 1972 from hauled stock BSK. Wired for DMU working 1998. Non gangwayed. Used with 977391/2 or loco-hauled.
Maximum Speed: 70 mph.
Bogies: B5.
Brakes: Air and Vacuum.
Doors: Manually operated slam.
Couplings: Drophead buckeye.
Multiple Working: Blue Square.
Dimensions:

T. Dia. DZ538. Lot No. 30142 Gloucester 1955. 39.0 t.

| – | SO | SO | *SO* | ZA | 975091 | Mentor |

UNCLASSIFIED — De-icing Trailer

T. Converted 1960 from 4-Sub EMU vehicle. Non gangwayed. Operates as required with the power cars from 930 301.
Maximum Speed: 70 mph.
Bogies: Central 43 inch.
Brakes: Electro-pneumatic and automatic air.
Doors: Manually operated slam.
Couplings: Drophead buckeye.
Multiple Working: SR system.
Dimensions:

T. Dia. EZ520. Lancing/Eastleigh 1946. 29.0 t.

–		**RK**	RT	*RT*	SU	977364

UNCLASSIFIED — Track Recording Coach

T. Purpose built service vehicle. Wired for DMU working 1998. Gangwayed. Used with 977391/2 or loco-hauled.
Maximum Speed: 70 mph.
Bogies: B4.
Brakes: Air and vacuum.
Doors: Manually operated slam.
Couplings: Drophead buckeye.
Multiple Working: Blue square.
Dimensions:

T. Dia. DZ539. Lot No. 3830 BREL Derby 1976. 45.0 t.

–		**SO**	SO	*SO*	ZA	999550

UNCLASSIFIED — Track Assessment Unit

DM–DM. Purpose built service unit. Gangwayed within unit.
Engine: One Cummins NT-855-RT5 of 213 kW (285 hp) at 2100 rpm per power car.
Transmission: Hydraulic. Voith T211r with cardan shafts to Gmeinder GM190 final drive.
Maximum Speed: 75 mph.
Bogies: BP38 (powered), BT38 (non-powered).
Brakes: Electro-pneumatic.
Doors: Manually operated slam & power operated sliding.
Couplers: BSI automatic.
Multiple Working: With classes 141–158 and 170 only.
Dimensions: 20.06 x 2.82 x 3.77 m.
Non-Standard Livery: Grey, red and blue.

999600. DM. Dia. DZ536. Lot No. 4060 BREL York 1987. 36.5 t.
999601. DM. Dia. DZ536. Lot No. 4061 BREL York 1987. 36.5 t.

–		**0**	SO	*SO*	NC	999600	999601

UNCLASSIFIED — Ultrasonic Test Car

T. Converted 1986 from Class 432 EMU. Gangwayed. Used with 977391/2.
Maximum Speed: 70 mph.
Bogies: SR Mk. 6.
Brakes: Twin pipe vacuum.
Doors: Manually operated slam.
Couplings: Screw.
Multiple Working: Blue Square.
Dimensions: 19.66 x 2.82 x 3.90 m.

T. Dia. DZ531. Lot No. 30862 York 1974. 55.5 t.

–	**0**	SO	*SO*	ZA	999602

Northern Spirit Trans-Pennine Express liveried 158 814 departs from Leeds with the 10.28 Manchester Airport–Middlesbrough on 19th September 1998.
Peter Fox

▲ 159 007 and 159 006 depart from Dawlish with the 09.50 Paignton–London Waterloo on 27th June 1998. **Alex Dasi-Sutton**

▼ 165 107 nears Earlswood whilst working a Reading General–Gatwick Airport service on 14th August 1998. **Hugh Ballantyne**

The 11.34 Reading General–Gatwick Airport passes the 1930's vintage former Southern Railway signal box at Reigate on 9th May 1998 worked by 166 210.
Nic Joynson

▲ Chiltern 'Clubman' 168 002 shunts into the stabling siding at Birmingham Snow Hill after arrival with the 10.40 from London Marylebone on 31st October 1998. **Peter Fox**

▼ EWS Class 114 Route Learning Unit 977775 + 977776 north of Norton Bridge on the down slow line heading towards Crewe on 17th September 1996. **Hugh Ballantyne**

Unique Class 205/2 3-car DEMU 205 205 running empty stock nears Ashford (Kent) before forming the 10.52 service to Hastings on 15th May 1998. This set has now been reduced to 2-cars for the winter period. **Chris Wilson**

Serco Railtest 3-car unit 977392 + 999550 + 977391 passes Abbotswood Junction on 2nd April 1998. **Bob Sweet**

▲ Docklands Light Railway cars 82 + 63 approach Heron Quays on 9th September 1998. **Hugh Ballantyne**

▼ South Yorkshire Supertram 111, in the new Stagecoach livery, passes the Don Valley Stadium with the 15.14 Meadowhall–Herdings Park on 18th October 1998. **Peter Fox**

▲ The first Croydon Tramlink car, as yet un-numbered, on a test run near the Therapia Lane depot on 8th October 1998. **B.J. Cross**

▼ Midland Metro car 03 on a test run at Dudley Street on 7th August 1998. **Mike Ballinger**

1.5 VEHICLES AWAITING DISPOSAL

This section lists vehicles awaiting disposal of classes or types not otherwise represented in this publication (except as Internal User vehicles). Notes regarding common detail applicable to first and second generation units also apply to this section as appropriate.

CLASS 151   3-Car Sprinter

DMSL–MS († MSL)–DMS. Prototype Sprinter.
Engines: One Cummins NT-855-R4 of 213 kW (285 hp) at 2100 rpm per car.
Transmission: Hydraulic. Twin Disc TA-33-1316 with cardan shafts to Gmeinder GM190 final drive.
Bogies: BX9P (powered), BX9T(non-powered).
Gangways: Within unit only.
Dimensions: 19.98 x 2.81 x 3.89 m.
Non-Standard Livery:
•   151 103/104 are unpainted.

DMSL. Dia. DP233. Lot No. 30987 Met-Camm. 1985. –/72 1T. 32.4 t.
MS. Dia. DR204. Lot No. 30989 Met-Camm. 1985. –/76. 36.5 t.
MSL. Dia. DR2??. Lot No. 30989 Met-Camm. 1985. –/73. 37.50 t.
DMS. Dia. DP232. Lot No. 30988 Met-Camm. 1985. –/76. 36.70 t.

151 103	**0**	A	*SO*	ZA(S)	55202	55302	55402
151 104	**0**	A	*SO*	ZA(S)	55203	55303	55403

MISCELLANEOUS VEHICLES

Class 101	DTCL	54350		CB(S)
Class 117	TCL	59518		OM(S)
Class 100	QXV	977191	(56106)	CB(S)
Class 951	T	977696	(60522)	ZG(S)

2. LIGHT RAIL & METRO SYSTEMS

2.1 BLACKPOOL & FLEETWOOD TRAMWAY

Operator: Blackpool Transport Services Ltd.
System: 660 V dc overhead.
Depot & Workshops: Rigby Road, Blackpool.
Livery: Cream and green, although many vehicles carry advertising liveries.

OPEN SINGLE DECK ('BOAT')CARS   A1–1A

Built: 1934 by English Electric.
Seats: 56.
Traction Motors: Two English Electric EE327 of 30 kW each.

| 600 | 602 | 604 | 605 | 606 | 607 |

PROTOTYPE 'ROADLINER'   Bo–2–Bo

Built: 1998 by
Seats:
Traction Motors:

611

VANGUARD CAR   A1–1A

Built: 1987 by Blackpool & Fleetwood Tramway, Blackpool. Rebuilt from 'OMO Car' 7, originally built 1934–35 by English Electric. This is a replica 'toastrack' style vehicle.
Seats:
Traction Motors: Two English Electric EE327 of 30 kW each.

619

BRUSH RAILCOACHES   A1–1A

Built: 1937 by Brush, Loughborough.
Seats: 48.
Traction Motors: Two English Electric EE305 (*EE327) of 40 kW (*30 kW) each.
Note: 635 carries its original number, 298.

621	625	630	632	634	636
622*	626	631	633	635	637
623	627				

CENTENARY CLASS   A1–1A

Built: 1984-86 by East Lancashire Coachbuilders, Blackburn.
Seats: 52.
Traction Motors: Two English Electric EE305 of 40 kW each.

| 641 | 643 | 645 | 646 | 647 | 648 |
| 642 | 644 | | | | |

CORONATION CLASS   Bo–Bo

Built: 1953 by Charles Roberts, Wakefield.   **Seats:** 56.
Traction Motors: Four Crompton Parkinson CP92 of 34 kW each.

660

PROGRESS TWIN CARS   A1–1A + 2–2

Motor + Driving Trailer.   **Seats:** 53 + 53.
Built: 1958-60 by Blackpool & Fleetwood Tramway, Blackpool (motor coaches) or 1960 by Metropolitan Cammell, Birmingham (trailers). Motor coaches rebuilt from English Electric 'Railcoaches' built 1936.
Traction Motors: Two English Electric EE305 of 40 kW each per motor coach.

| 671 + 681 | 673 + 683 | 674 + 684 | 675 + 685 | 676 + 686 | 677 + 687 |
| 672 + 682 | | | | | |

ENGLISH ELECTRIC RAILCOACHES   A1–1A

Built: 1936 by English Electric. Rebuilt 1958-60 by Blackpool & Fleetwood Tramway, Blackpool as towing cars, but non-driving trailers later withdrawn.
Seats: 48.
Traction Motors: Two English Electric EE305 of 40 kW each.

| 678 | 679 | 680 |

'BALLOON' DOUBLE DECK CARS   A1–1A

Built: 1934-35 by English Electric. 700–12 were originally open top cars. 706 has now reverted to open top. (* Rebuilt with new front end design and air-conditioned cabs; † New interior including ice cream servery. 64 seats).
Seats: 94.
Traction Motors: Two English Electric EE305 of 40 kW each.
Notes: 700 carries its original number, 237.

700	704	709	713	718	722
701	706	710	715	719†	723
702	707*	711	716	720	724
703	708	712	717	721	726

Name: 706 Princess Alice

ILLUMINATED CARS A1–1A

Builders: Various. All conversions from earlier vehicles.
Traction Motors: English Electric.
Seats: See below.

732	Rocket	**Built:** 1961. **Seats:** 46.
733	Western Train loco & tender	**Built:** 1962. **Seats:** 35.
734	Western Train coach	**Built:** 1962. **Seats:** 60.
735	Hovertram	**Built:** 1963. **Seats:** 99.
736	Frigate	**Built:** 1965. **Seats:** 75.

JUBILEE CLASS A1–1A

Built: 1979-82 by Blackpool & Fleetwood Tramway, Blackpool. Rebuilt from 'Balloon Cars' 725 and 714 respectively.
Seats: 100.
Traction Motors: Two English Electric EE305 of 40 kW each.

761 |762

WORKS CARS

Miscellaneous vehicles not used for public service.

No.	Type of vehicle	Year Built
259	Permanent Way Car	1971
260	Crane Car	1973
752	Rail Grinding Car	1928
753	Overhead Line Car (Stored)	1958
754	Overhead Line Car	1993

VINTAGE CARS

The following vintage cars saw regular use on the Blackpool & Fleetwood system in 1998:

Car	Year Built
Blackpool & Fleetwood 2	1898
Blackpool & Fleetwood 31	1901
Blackpool & Fleetwood 40	1914
Blackpool & Fleetwood 167	1928
Bolton 66	1901
Stockport 5	1901

2.2 CROYDON TRAMLINK

Operator: Tramlink Croydon Ltd.
System: 750 V dc overhead.
Depot & Workshops: Therapia Lane, Croydon.
Livery: Red and white.

SIX AXLE ARTICULATED CARS   Bo–2–Bo

Built: 1998-99 by Bombardier-Wien Schienenfahrzeuge, Austria.
Traction Motors: Four of 120 kW each.
Seats: 70.
Dimensions: 30.10 x 2.65 x 3.60 m.
Couplers: Scharfenberg.
Doors: Power operated sliding plug.
Maximum Speed: 80 km/h.
Weight: 36.3 t.
Brakes: Disc, regenerative and magnetic track.
Note: Car numbers subject to confirmation. At the time of writing, only the first car had been delivered.

2530	2534	2538	2542	2546	2550
2531	2535	2539	2543	2547	2551
2532	2536	2540	2544	2548	2552
2533	2537	2541	2545	2549	2553

2.3 DOCKLANDS LIGHT RAILWAY (LONDON)

Operator: Docklands Railway Management Ltd.
System: 750 V dc third rail (bottom contact).
Depots: Beckton, Poplar.
Livery: Blue with two narrow white stripes, a broad red stripe and red doors.

B90 CLASS   B–2–B

Built: 1991 by BN Constructions Ferroviaires et Métalliques, Brugge, Belgium.
Traction Motors: Two Brush of 140 kW each.
Seats: 66.   **Doors:** Power operated sliding.
Dimensions: 28.80 x 2.65 x 2.50 m.   **Maximum Speed:** 80 km/h.
Couplers: Scharfenberg.   **Weight:** 36.0 t.
Electric Brake: Rheostatic.

22	26	30	34	38	42
23	27	31	35	39	43
24	28	32	36	40	44
25	29	33	37	41	

B92 CLASS   B–2–B

Built: 1992-93 by Bombardier-BN, Brugge, Belgium.
Traction Motors: Two Brush of 140 kW each.
Seats: 66.   **Doors:** Power operated sliding.
Dimensions: 28.80 x 2.65 x 2.50 m.   **Maximum Speed:** 80 km/h.
Couplers: Scharfenberg.   **Weight:** 36.0 t.
Electric Brake: Rheostatic.
Note: * Livery turquoise blue & white.

45*	53	61	69	77	85
46	54	62	70	78	86
47	55	63	71	79	87
48	56	64	72	80	88
49	57	65	73	81	89
50	58	66	74	82	90
51	59	67	75	83	91
52	60	68	76	84	

DIESEL SHUNTER   0–4–0

Built: 1979 by GEC Traction, Newton-le-Willows.
Engine:
Transmission: Hydraulic.

Unnumbered

BATTERY/THIRD RAIL ELECTRIC LOCO B

Built: 1991 by RFS Engineering, Kilnhurst.
Electrical Equipment:

Unnumbered

DIESEL SHUNTER B

Built: 1962 by Ruston & Hornsby, Lincoln.
Engine:
Transmission: Mechanical.

Unnumbered

2.4 GREATER MANCHESTER METROLINK

Operator: Serco Metrolink Ltd.   **System:** 750 V dc overhead.
Depot & Workshops: Queens Road, Manchester.
Livery: White, dark grey and blue.

SIX AXLE ARTICULATED CARS   Bo–2–Bo

Built: 1991-92 by Firema Consortium, Caserta, Italy.
Traction Motors: Four GEC of 130 kW.
Dimensions: 29.00 x 2.65 x ?? m.   **Seats:** 84.
Couplers: Scharfenberg.   **Doors:** Power operated sliding.
Maximum Speed: 80 km/h.   **Weight:** 45.0 t.
Brakes: Rheostatic, regenerative, disc and emergency track brakes.

1001	
1002	
1003	
1004	THE ROBERT OWEN
1005	
1006	
1007	
1008	MANCHESTER AIRPORT
1009	
1010	MANCHESTER CHAMPION
1011	
1012	
1013	THE FUSILIER
1014	THE CITY OF DRAMA
1015	SPARKY
1016	
1017	
1018	SIR MATT BUSBY
1019	
1020	THE DAVID GRAHAM CBE
1021	THE GREATER MANCHESTER RADIO
1022	THE GRAHAM ASHWORTH
1023	
1024	THE JOHN GREENWOOD
1025	
1026	THE POWER

MULTI-PURPOSE VEHICLE   B

Built: 1991 by RFS Industries, Kilnhurst.
Engine: Caterpillar 3306 PCT of 170 kW.
Transmission: Mechanical. Rockwell T280.
Maximum Speed: 40 km/h.

Unnumbered

2.5 MIDLAND METRO

Operator: Travel West Midlands Ltd.
System: 750 V dc overhead.
Depot & Workshops: Wednesbury.
Livery: Dark blue and light grey with green stripe, yellow doors and red front end and roof.

SIX AXLE ARTICULATED CARS   Bo–2–Bo

Built: 1998 by Ansaldo Transporti, Italy.
Traction Motors: Four
Seats: 58.
Dimensions: 24.00 x 2.65 x ?? m.
Couplers: Not equipped.
Doors: Power operated sliding plug.
Maximum Speed: 75 km/h.
Weight: 35.6 t.
Brakes: Rheostatic, regenerative, disc and magnetic track brakes.

01	04	07	10	13	15
02	05	08	11	14	16
03	06	09	12		

2.6 SOUTH YORKSHIRE SUPERTRAM

Operator: Stagecoach Supertram Ltd.
System: 750 V dc overhead.
Depot & Workshops: Nunnery, Sheffield.
Livery: The Stagecoach livery of white with orange, red and blue stripes is superseding the original livery of grey and blue.

EIGHT AXLE ARTICULATED CARS   B–B–B–B

Built: 1993-94 by Duewag, Düsseldorf, Germany.
Traction Motors: Four Siemens monomotors of 277 kW each.
Seats: 88.
Dimensions: 34.75 x 2.65 x 3.65 m.
Couplers: Not equipped.
Doors: Power operated sliding plug.
Maximum Speed: 50 mph.
Weight: 52.0 t.
Brakes: Rheostatic, regenerative, disc and magnetic track brakes.
Note: These cars are being renumbered as shown below upon repainting into the Stagecoach livery by the addition of 100 to the previous number.

101	106	110	114	118	122
102	107	111	115	119	123
103	108	112	116	120	124
104	109	113	117	121	125
105	106				

WORKS CAR   Bo

Built: 1968 by Deutsche Reichsbahn, Berlin Schöneweide, East Germany. Converted to works car 1980. Acquired from Berlin Tramways (721 039-4) in 1996 for conversion to a Rail Grinder.
Traction Motors: Two LEW.
Dimensions: **Couplers:**
Maximum Speed:
Weight:

721 039-4   (5104, 217 303-7)

2.7 STRATHCLYDE PTE UNDERGROUND

Operator: Strathclyde PTE.   **System:** 600 V dc third rail.
Gauge: 1220 mm (4 ft.).
Depot & Workshops: Broomloan, Glasgow.
Livery – Passenger vehicles: Orange (officially known as 'Strathclyde Transport Red') and black.
Livery – Locomotives: Yellow.

SINGLE POWER CARS   Bo–Bo

Built: 1977-79 by Metropolitan Cammell, Birmingham.
Refurbished: 1993–95 by ABB Derby.
Traction Motors: Four GEC G312AZ of 35.6 kW each.
Seats: 36.   **Doors:** Power operated sliding.
Dimensions: 12.81 x 2.34 x 2.65 m.   **Maximum Speed:** 54 km/h.
Couplers: Wedglock.   **Weight:** 19.62 t.

101	107	113	119	124	129
102	108	114	120	125	130
103	109	115	121	126	131
104	110	116	122	127	132
105	111	117	123	128	133
106	112	118			

INTERMEDIATE TRAILERS   2–2

Built: 1992 by Hunslet-Barclay, Kilmarnock.
Seats: 40.
Dimensions: 12.70 x 2.34 x 2.65 m.
Couplers: Wedglock.
Doors: Power operated sliding.
Maximum Speed: 54 km/h.
Weight: 17.25 t.

201	203	205	206	207	208
202	204				

BATTERY ELECTRIC LOCOS   Bo

Built: 1977 by Clayton Equipment, Hatton.
Battery: 96 cell Chloride lead acid.
Traction Motors: Two GEC G312AZ of 35.6 kW each.
Dimensions: 4.65 x ?.?? x ?.?? m.
Couplers: Wedglock.
Weight: 14.8 tonnes.

L2	LOBEY DOSSER
L3	RANK BAJIN

BATTERY ELECTRIC LOCO   Bo

Built: 1974 by Clayton Equipment, Hatton. One of a pair of 3 ft. gauge loco-
motives for use on the Channel Tunnel construction project. Both were con-
verted to 4 ft. gauge in 1976 or 1977 and used by contractors Taylor Woodrow
on the Strathclyde Underground modernisation between 1977 and 1980 be-
fore being stored at Taylor Woodrow, Southall.
Both were purchased in a derelict condition by Strathclyde PTE in 1987, and
one loco, L4, was rebuilt by Clayton in 1988 from the parts recovered from
these two locomotives. L4 was further rebuilt by Hunslet-Barclay, Kilmarnock,
in 1990 to make it compatible with L2 and L3.
Battery: 96 cell Chloride lead acid.
Traction Motors: Two GEC G312AZ of 35.6 kW each.
Dimensions:
Couplers: Wedglock.
Weight:

L4   EL FIDELDO

2.8 TYNE & WEAR METRO

Operator: Nexus (Tyne & Wear PTE). **System:** 1500 V dc overhead.
Depot & Workshops: South Gosforth.
Livery: Yellow and white unless otherwise indicated. **A** – Advertising livery; **B** – Blue and yellow; **G** – Green and yellow; **R** – Red and yellow; **Locos** –Green, with red solebar and black & yellow striped ends.

SIX AXLE ARTICULATED CARS B–2–B

Built: 1978–81 by Metropolitan Cammell, Birmingham (4001/2 were built by Metropolitan Cammell in 1976 and rebuilt 1984–87 by Hunslet TPL, Leeds.
Traction Motors: Two Siemens of 187 kW each.
Seats: 68 (*§ 84;† 70). **Dimensions:** 27.80 x 2.65 x 3.15 m.
Couplers: BSI. **Doors:** Power operated sliding plug.
Maximum Speed: 80 km/h. **Weight:** 39.0 t.
Note: §‡ Denote Red Triangle coupling code. Can only couple to other Red Triangle Cars.

4001	*	Y	4019		R	4037	*	Y	4055		R	4073	*	Y
4002	*	Y	4020		R	4038		R	4056	*	A	4074		R
4003		R	4021		R	4039		A	4057		R	4075		B
4004	‡	G	4022	*	Y	4040		R	4058	*	Y	4076	*	Y
4005		R	4023	*	Y	4041	*	Y	4059		R	4077		R
4006		R	4024	§	Y	4042	*	Y	4060		R	4078		R
4007		R	4025	*	Y	4043		R	4061	‡	G	4079		R
4008		B	4026		R	4044		R	4062	*	Y	4080		R
4009		R	4027		R	4045		A	4063	*	A	4081	*	Y
4010		R	4028		R	4046		R	4064		R	4082		G
4011	*	Y	4029	§	Y	4047	§	Y	4065		R	4083	*	A
4012	*	A	4030		R	4048		B	4066		B	4084	*	Y
4013	*	Y	4031	*	Y	4049		A	4067		R	4085		B
4014		R	4032		R	4050		R	4068		R	4086		B
4015		R	4033		R	4051		R	4069	*	Y	4087	†	A
4016		B	4034		R	4052	*	Y	4070		R	4088		R
4017		R	4035		B	4053	*	Y	4071	*	Y	4089		R
4018	*	Y	4036		G	4054	*	Y	4072	§	Y	4090		R

Names:

4026	GEORGE STEPHENSON	4077	ROBERT STEPHENSON
4041	HARRY COWANS	4078	ELLEN WILKINSON
4065	DAME Catherine Cookson		

BATTERY ELECTRIC LOCOS B

Built: 1989–90 by Hunslet TPL, Leeds.
Traction Motors: Two Hunslet-Greenbat T9-4P of 67 kW each.
Dimensions: 9.00 x ?.?? x ?.?? m. **Couplers:** BSI.
Maximum Speed: 50 km/h. **Weight:** 26.25 t.

BL1	BL2	BL3

3. LIVERY CODES

Code	Description
AR	Anglia Railways *(Turquoise blue with white stripe)*.
BG	BR *(Blue and grey lined out in white)*.
CC	BR/Strathclyde PTA *(Carmine & cream lined out in black and straw.)*.
CH	BR or GWR *(Chocolate and cream)*.
CO	Centro *(Grey/green with light blue, white & yellow stripes)*.
CR	Chiltern Railways *(Blue and white with a thin red stripe)*.
CT	Central Trains *(Details awaited)*.
CX	Connex *(Light grey with yellow lower body and blue solebar)*.
G*	BR *(Plain or two-tone green)*.
GM	Greater Manchester PTE *(Light grey/dark grey with red and white stripes)*.
GW	Great Western Trains *(Green & Ivory)*.
LH*	BR Loadhaul *(Black with orange cab sides)*.
M	BR *(Maroon, lined out in straw and black)*.
MT	Mersey Travel *(Yellow/white with grey and black stripes)*.
MM	Midland Main Line *(Teal green with cream lower body sides and three orange stripes)*.
N	Network South East *(Grey/white/red/white/blue/white)*.
NS	Northern Spirit *(Turquoise blue with lime green N)*.
NT	Network South East *(Grey/red/white/blue/white)*.
NW	North West Trains *(Blue with gold cant rail stripe and star)*.
PS	Provincial *(Dark blue/grey with light blue & white stripes)*.
RE*	Provincial Express *(Light grey/buff/dark grey with white, dark blue & light blue stripes)*.
RK*	Railtrack *(Orange with white and grey stripes)*.
RN*	North West Regional Railways *(Dark blue/grey with green & white stripes)*.
RR*	Regional Railways *(Dark Blue/Grey with light blue & white stripes)*.
S	Strathclyde PTE *(Orange/black lined out in white)*.
SO	Serco Railtest *(Red/grey)*.
SR	ScotRail *(details awaited)*.
TW	Tyne & Wear PTE *(White/yellow with blue stripe)*.
TX	Northern Spirit Trans-Pennine Express *(Plum with yellow N)*.
WY*	West Yorkshire PTE *(Red/cream with thin yellow stripe)*.
YN	West Yorkshire PTE *(Red with light grey N)*.

* denotes an obsolete livery style no longer used for repaints.

4. OWNER CODES

Code	Owner
A	Angel Train Contracts.
AY	Amey Fleet Services.
E	English Welsh & Scottish Railway.
FB	First Group.
HD	Hastings Diesels.
P	Porterbrook Leasing.
RT	Railtrack.
SO	Serco Railtest.

5. OPERATION CODES

Code	Operator
AR	Anglia Railways.
AY	Amey Railways.
CA	Cardiff Railways (NB: All units used must be equipped global positioning system).
CR	Chiltern Railways.
CT	Central Trains.
E	English Welsh & Scottish Railway.
GW	First Great Western.
MM	Midland Main Line.
NS	Northern Spirit.
NW	First North Western.
RT	Railtrack.
SC	Connex South Central.
SL	Silverlink.
SO	Serco Railtest.
SR	ScotRail.
SW	South West Trains.
TT	Thames Trains.
VX	Virgin Cross Country.

6. DEPOT & LOCATION CODES

Code	Location	Operator
AL	Aylesbury TMD	Adtranz (on behalf of Chiltern Railways)
BY	Bletchley T&RSMD	Silverlink
CB*	Crewe Brook Sidings	Storage location only
CF	Cardiff Canton (DMU) TMD	Wales & West/Cardiff Railways
CH	Chester SD	First North Western
CK	Corkerhill (Glasgow) TMD	ScotRail
DY	Etches Park (Derby) T&RSMD	Midland Main Line
HA	Haymarket (Edinburgh) TMD	ScotRail
HT	Heaton (Newcastle upon Tyne) TMD	Northern Spirit
IS	Inverness TMD	ScotRail
LO	Longsight Diesel (Manchester) TMD	First North Western
MG	Margam SD	EWS
NC	Norwich Crown Point T&RSMD	Anglia Railways
NH	Newton Heath TMD	First North Western
NL	Neville Hill DMU/EMU (Leeds) T&RSMD	Northern Spirit
OM	Old Oak Common CARMD (London)	First Great Western
RG	Reading TMD	Thames Trains
SA	Salisbury TMD	South West Trains
SE	St. Leonards TMD	St. Leonards Railway Engineering.
SU	Selhurst T&RSMD	Connex South Central
TE	Thornaby TMD	EWS
TS	Tyseley (Birmingham) T&RSMD	Central Trains
ZA	Railway Technical Centre (Derby)	Serco Railtest
ZB	Doncaster	RFS (E)
ZD	Derby Litchurch Lane	Adtranz
ZG	Eastleigh	Alstom

* denotes unofficial code.

7. DEPOT TYPE CODES

SD	Servicing Depot
TMD	Traction Maintenance Depot
T&RSMD	Traction & Rolling Stock Maintenance Depot